Spanish Beauty

Esther García Llovet

Spanish Beauty

EDITORIAL ANAGRAMA

BARCELONA

Ilustración: foto © Esther García Llovet

Primera edición: enero 2022
Segunda edición: febrero 2022

Diseño de la colección: Julio Vivas y Estudio A

© Esther García Llovet, 2022

© EDITORIAL ANAGRAMA, S. A., 2022
  Pau Claris, 172
  08037 Barcelona

ISBN: 978-84-339-9940-5
Depósito Legal: B. 19116-2021

Printed in Spain

Liberdúplex, S. L. U., ctra. BV 2249, km 7,4 - Polígono Torrentfondo
08791 Sant Llorenç d'Hortons

Para mi madre, siempre aquí

Un único asiento doble, iluminado por un foco cenital, rodeado de la oscuridad más negra e impenetrable. No se puede querer a tan poca gente; él lo sabía pero no fue capaz de evitarlo. Su nuevo corazón presagiaba lo peor, y el presagio se hizo realidad.

KIKO AMAT, *Revancha*

Un destello deslumbrante como un anuncio de publicidad interestelar, allí en medio del océano, en la noche de verano, al final de la noche del final del verano, el destello seco de las brasas de un cigarro. Las brasas se inflaman, luego se apagan, vuelven a encenderse con fuerza en la proa de la zodiac. Fuma y habla a la vez, sola. Después llama a alguien por el móvil. Al cabo de unos minutos arroja el cigarrillo al agua. Se hunde con una crepitación. Justo bajo la Boreal. Hay un reflejo verde lima sobre el mar de ácido, son las cinco de la madrugada, esa hora muy chunga de peaje al otro lado.

Un cielo electrónico.

Las letras: rojas. Cuadradas: Benidorm.

Ahora que amanece todo sigue en su sitio. La luna llena sigue en su sitio, transparente, porosa, de cal. La zodiac se acerca despacio a la playa de Finestrat como un marrajo inspeccionando la superficie del mar. Michela está de pie en la proa. Tiene esa cara de quien no ha dormido nada para despertar al mundo, húmeda y fría, su cara de siempre, el pelo tieso y duro de sal. Cuando llega a la orilla apaga el motor, salta al agua, arrastra la zodiac unos metros y la deja

11

caer ahí mismo en la arena. Lleva vaqueros, la parte de arriba de un bikini de punto y las botas colgadas del cuello por los cordones. Avanza por la playa plana. Pasa junto a una pareja durmiendo la mona, un perro que hurga entre bolsas del Lidl, los restos de una fogata apagada con cerveza. Se dirige al chiringuito de donde viene la música. La música es algo de C. Tangana y suena en estéreo desde unos altavoces de plástico malo colgados sobre las cabezas de un matrimonio que desayuna con cerveza mientras lee *The Sun*. Chanclas, calcetines de tenis, el tabloide y un sello de oro amarillo en el meñique, él. Ella está en una silla de ruedas, los tobillos como cerillas, la raya del ojo color esmeralda, haciendo fotos del amanecer con el teléfono móvil.

–Ni fotos ni vídeos, señora –le dice Michela. Michela habla inglés con acento del este de Londres, un cockney imposible de pronunciar a no ser que se haya nacido en el mismo Hackney.

–¿Y usted quién es?

–¿Dónde está Martin? –pregunta Michela al camarero.

Las sillas del chiringuito están aún colocadas encima de las mesas, salvo la de los ingleses. Huele a fritura, a café, a aceite bronceador.

–Martin se ha pillado unos días libres. –El camarero habla con el mismo acento que Michela aunque no haya puesto un pie en Londres en su vida, ni fuera de Benidorm tampoco.

–Pues entonces nos vamos de fiesta tú y yo. Es su cumpleaños –le dice a la inglesa.

–Feliz cumpleaños –dice la inglesa. Y le tira una foto.

–No es mi cumpleaños. Estoy trabajando. ¿Quieren algo más? –les pregunta a los ingleses.

–Que os calléis –dice él.

–Te voy a dar una sorpresa –le dice Michela al camarero.

–No me gustan las sorpresas.

Michela se echa a reír:

–Quién lo dice.

–Lo digo yo –dice el inglés.

Michela coge una silla y se sienta frente al mar.

–Ponme un café. ¿Y adónde se ha ido? Llevo tres días buscándolo.

–No tengo ni la menor idea –dice bajando las sillas de una mesa. Lleva delantal de chica–. A mí me dejas en paz con vuestras movidas.

–Hoy no es día de andar perdiendo el tiempo –dice Michela–. No es día de andar perdiendo el tiempo nunca, y menos aquí, aquí todo el mundo va como si tuviera todo el tiempo del mundo y luego no hacen nada, ponerse morenos y ponerse ciegos y comer, no se enteran de que no hay más que eso, que tiempo, eso de que si no usas la cabeza otro lo hará por ti es una mierda soberana, lo que hay que hacer es poner el tiempo del otro a tus necesidades, a tu señora gana. Usarlo, tenerlo, y luego ya veremos.

–Yo morena no me pongo.

–Aquí, ahora, son tiempos blandos, no pasa nada, nadie quiere nada, y eso es lo peor que puede pasar. La tontería y el aburrimiento. Las sobras, las colillas. Y este sol de mierda.

–¿Quién habla de aburrimiento? –pregunta la inglesa. Lleva un vestido con girasoles aunque debe de tener setenta años cumplidos–. Esto es lo más divertido del mundo.

–También los rusos dicen que esto es divertido –dice su marido leyendo el periódico–. Lo dice aquí.

–¿Qué rusos?

–Los que han comprado la casa grande de Terra Mítica –dice sonriendo. Tiene una dentadura nuevita–. Van a dar una fiesta de bienvenida.

El camarero se dirige a la máquina de café. Prepara uno negro, espeso, sin azúcar. Cuando se vuelve Michela ya no está. Ha dejado el tabaco en la silla y ha vuelto a la orilla, se ha subido a la zodiac. Michela tira del arranque del motor, una, dos, tres, arranca, da un par de giros en trompo a unos metros de la orilla hasta que se estabiliza. Luego pone la proa hacia el horizonte. El inglés pide la tercera pinta de la mañana.

–Tu camello es una pieza de cuidado –le dice el inglés al camarero.

–No es mi camello.

–Cómo que no. Te he visto darle un sobre por debajo de la mesa.

El camarero se sienta en una de las mesas y da un sorbo al café. Luego tira el vaso de papel al suelo, escucha las olas efervescentes rompiendo en la orilla. Enciende un cigarrillo.

–No es mi camello. Esa es Michela. Esa es policía nacional.

Michela acelera, se queda de pie en la proa, se aleja dejando un fuerte olor a gasóleo y una estela de espuma batida cada vez más estrecha, una raya de farla que desaparece mar adentro como una autopista líquida, estrecha, ligera, directa hacia la luna caliente. Velocidad profunda. Domingo.

Benidorm. Cultura barata. Cultura de playa. Gente que habla tres idiomas sin tener el bachillerato, paquis, belgas, gin-tonics aguados, gays. Libros de Tom Clancy de segunda mano, hinchados por la humedad, crujientes de arena, arena en la almohada, arena en la paella, en el tanga, en la ducha, desayunos de salchicha y bacon a cualquier hora del día, masajes tailandeses a cualquier hora del día, chicharras de noche. Vomitonas, meadas contra las tapias y canciones de Tom Jones. Melanomas, cistitis, diarreas universales. Clamidias. Y el mar como el desierto de Levante, del Oeste, de Las Vegas, las sombras de los rascacielos sobre la playa, cada vez más altas, sombras kilométricas que se adentran sobre la superficie del mar tibio a las diez de la noche, mientras las familias cenan pollo frito en la orilla, Godzillas de acero mediterráneo sobre la arena fría del amanecer.

Martin vive en un Airbnb. En una habitación de nueve euros la noche en un chalet del Rincón de Loix, detrás de la fila interminable de restaurantes chinos de nueve euros el menú del día. La habitación tiene dos camas, una la usa para dormir y la otra a modo de mesa donde come, compone sus temas y deja sus cosas. Tampoco tiene tantas. Camisetas sucias y cómics de Alan Moore. En la pared hay una fotografía clavada con una chincheta, una postal de unas nubes blancas y compactas y unos bloques de hielo flotando en el océano gris justo debajo de cada una como si fueran los reflejos exactos de esas nubes. La postal es de Canadá. Lo pone debajo. Canadá. También hay un cartel de los White Stripes.

–Dónde cojones estás –gruñe Michela.

Abre el cajón de la mesa de noche, forrado de aironfix de flores. Vacío. Hormigas. Hay un solo enchufe en la habitación, y si Martin quiere encender el calentador del agua con la que se lava o cargar el móvil tiene que desenchufar la lámpara y hacerlo a oscuras. El cargador del móvil está enchufado en la pared. Así que Martin no se ha ido a ninguna parte, o no habrá ido muy lejos, y casi seguro está en Benidorm. Pero dónde. Michela coge un vaquero de encima de la cama y registra los bolsillos. Encuentra un ticket de compra de la rotisería Multipollo de la estación de autobuses. Mira la fecha. Es de las 11:47. Las 11:47 de esa misma mañana.

–Martin no está y no sé cuándo va a volver –le contesta Oliver.

Oliver es uno de sus soplones preferidos, un quinceañero de sudadera y capucha que se cree mucho más listo de lo que realmente es, aunque Michela no piensa decírselo porque toda esa tontería de estar de vuelta de todo le conviene. Está sentado en uno de los cuatro sillones de masaje, esos sillones negros como de piloto de pruebas que nunca funcionan, al final del pasillo del centro comercial de la estación de autobuses. Entra luz muy fuerte, polvorienta, por el lucernario del patio central.

–Le vas a decir que me conteste el móvil o que no vuelva a poner un pie en Benidorm.

–Se ha pillado tres días libres, ya está. –Hoy Oliver lleva una ceja rasurada. Lo habrá visto en Netflix.

–Que me coja el móvil, me oyes, cretino.

Oliver se mete las manos en la marsupia de la sudadera y ahí mismo se rasca la entrepierna.

–No te pongas cursi, que no te pega nada.

Michela coloca las manos en el respaldo del sillón y acerca su cara a la de Oliver:

–Llámalo ahora mismo. Delante de mí.

–Me han robado el móvil –se ríe Oliver.

17

–No te pases.

Oliver levanta los brazos como diciendo «tú misma». Michela lo cachea y es cierto, no lo lleva ni en la sudadera ni en los vaqueros. Por no tener no tiene ni llaves de casa. Se aparta.

–Hablas con él y le dices que me llame o vaya a mi casa. Hoy. Esta noche. Muévete o te saco a patadas.

Oliver le dice que vale con la cabeza, se levanta de mala gana y se va pasillo abajo, arrastrando las chanclas, saliendo por la rotisería, donde una docena de pollos giran lentamente ensartados por el culo, quemados, tiesos, bien muertos y sin cabeza.

El mar de día y el mar de noche. El cielo color Fanta de día y la Vía Láctea, Venus, las constelaciones como bucles de autopistas y mapas de carreteras perdidas contra el negro más profundo, de madrugada. Mar adentro, a unos tres kilómetros de la costa, apenas se ve Benidorm a no ser por alguna luz de los rascacielos más altos, destellos que aparecen y desaparecen detrás de las olas felinas y lentas, de caza furtiva. Han terminado la carrera hace apenas unos minutos y ya han apagado los motores. La carrera de motos náuticas de esta noche ha sido más rápida que de costumbre, la ha ganado un italiano, un empresario milanés de poco más de veinte años que no se quita el traje de neopreno ni para salir en las portadas de las revistas, y ahora se han reunido los siete competidores alrededor de la lancha de Michela, cada uno de pie en su moto. Unos fuman, otros miran el móvil mientras beben de lata, una chica se ha tirado al agua sin bañador pero con una bonita borrachera. El italiano cuenta la apuesta que acaba de ganar y que no necesita para absolutamente nada. El dinero viene en un rollo bien apretado con una goma de pelo, muchos billetes más que si las carreras de motos náuticas fueran legales, en abierto, igual que todo lo que se hace a escondidas sale por una clavada aunque luego eso por lo que pagas un riñón no sea ni mucho menos para tanto. Michela está sentada en la parte de atrás de la lancha, en lo más oscuro, donde nadie la ve, vigilando que todo esté en orden y que ninguno de estos niñatos venidos desde Ibiza o Marsella se ponga tonto por haber perdido y le eche a perder el tinglado que tiene montado desde hace cinco veranos. Se lleva un quince por ciento. Podría llevarse mucho más pero no lo necesita. En realidad lo hace porque se entera de mil movidas, trapicheos, quién hace qué a quién. Los chicos de Ibiza están hablando de pillar 2C-B para la fiesta de los rusos, se están riendo sin parar, como si estuvieran ya puestos, y probablemente sea así. Uno se tira al agua y empieza a nadar alejándose de las motos. Está cantando «Azzurro». Cuando llega a unos cien metros empieza a gritar pidiendo ayuda. Nadie le hace caso, pasan de él, de ese que no ha sabido calcular el minuto de subidón de adrenalina que necesitan tres veces cada hora por lo menos. Michela recibe un mensaje. Es de Martin.

Qué quieres. Eso es todo lo que ha escrito.

Unos rusos que dan una fiesta están buscando grupo de música, escribe ella.

Cuándo nos vemos.

Mañana por la tarde en mi casa.

OK.

Michela. Michela McKay. La puerta estaba abierta al pasillo del ascensor pero el apartamento se encontraba a oscuras. No encendió la luz al entrar. Había oído el aviso de la comisaría por la radio del coche patrulla, una llamada por unos golpes en un apartamento de Playa Poniente, mientras Vilches, su compañero, estaba comprando tabaco. Cuando volvió no le dijo nada del aviso porque quería subir sola, por su cuenta, sin Vilches y su cara de boniato. Así que subió los doce pisos en penumbra y entró en el apartamento en penumbra. Paredes desnudas, amarillas, mobiliario de pino de piso de alquiler, un salón enorme donde se detuvo y se quedó completamente quieta como otro mueble más. No se oía nada. Solo el suave ronroneo del microondas encendido en la cocina americana, su luz naranja y cuadrada sobre el suelo de terrazo del salón. Michela se llevó la mano a la pistola en la cintura y se deslizó por la casa como la sombra de la sombra de un fantasma. Se dirigió al dormitorio. Entraba algo de claridad por la ventana. No había nadie ahí, la cama estaba hecha, las cuatro cosas de los dormitorios en su sitio. En el cuarto de baño: nadie, nada. Ni el goteo de un grifo. Volvió al salón. Abrió los armarios. Había unas cuantas cajas de Amazon, vacías, un par de chanclas. Giró la cabeza a un lado y a otro, muy lentamen-

21

te. Le dolía la mano de apretar la pistola. Respiró con fuerza. Lo único que había en marcha era el microondas. Seguía dando vueltas. Ese siseo condensado y algo lejano siempre. Se acercó a mirar. Había algo dentro. No reconoció lo que era hasta que el plato dio otra vuelta y se presentó de frente: dos manos. Dos manos, una sobre otra sin anillo, como en las poses de los retratos renacentistas, completamente quemadas, girando despacio en el pequeño escenario circular. Negras. Eran manos de mujer.

El cuerpo de la mujer no apareció nunca, ni en Benidorm ni en ninguna parte. Tampoco el dueño del apartamento. Pasados unos meses sin que nadie diera parte sobre el tema, Michela acabó mudándose y quedándose a vivir ahí. Es un piso silencioso y casi escondido al final del pasillo de la duodécima planta del edificio al lado del Hotel Lido, el de las enredaderas.

Martin la está esperando sentado en la barra que hace de mesa de cocina. Martin no tiene ni idea de lo de las manos, como no tiene ni idea de muchas otras cosas de Michela.

–Se te han secado las plantas –dice Martin.

–Son así. ¿Y eso? –dice señalando una caja junto a la entrada–. ¿Me traes un regalo?

–Lo han traído hace un rato.

–Quién.

–No sé. Uno. Con casco.

–No abras la puerta. No abras nunca la puerta de esta casa. Y mucho menos si no estoy yo.

–Pero si tú nunca estás.

Michela se dirige a la cocina, abre la nevera, saca un tupper con arroz chino. La nevera está donde antes se encontraba el microondas. Tiene muchos tuppers en la nevera, unos encima de otros como muestras de laboratorio forense.

–¿Qué es eso de una fiesta?

–Es una fiesta que van a dar unos rusos para inaugurar la casa grande que han comprado.

–La casa de Terra Mítica.

–Esa. Ahora están buscando un grupo de música.

–¿De dónde salen?

–Son siete hermanos, creo que viene el clan entero en un avión que tienen para ellos solos. Los hermanos Kaminski. Cada uno tiene también siete hijos, parece una broma pero no lo es, y todos son iguales, una centuria rusa. Además se visten muy parecido, para despistar. No sé yo cómo va a ser la cosa cuando se vengan aquí, si es que se mudan todos, aunque seguramente lo hagan porque han comprado la villa entera con sus cincuenta habitaciones y ya hablan español. Los hijos ya hablan español, el idioma del futuro. Aunque son tantos que podrían inventarse un idioma nuevo, llevárselo ahí donde caigan, como hacen todos los rusos.

–¿Has bebido?

–Lo que más me gusta de los Kaminski es lo bien que lo han hecho todo. No he bebido. Te estaba tomando el pelo. Son tres hermanos nada más. El padre empezó con una empresa de alarmas de seguridad, pequeña, un poco de segunda. No iba bien, más que nada porque en la ciudad donde vivían no hay casi robos en las casas, era un poco como una zona de las afueras, El Saler y Valencia, por ejemplo, y no pasaba nada porque era sitio de vacaciones y la mitad de las casas estaban vacías durante el invierno. Al padre Kaminski se le ocurrió poner a los hijos a asaltar las casas, algo de entrar y salir y ya está, romper una ventana y llevarse lo que fuera, cualquier tontería, solo para que los vecinos se animaran a poner alarma. Y se animaron. Funcionó muy bien, ahora solo hacen las alarmas, se inventaron un sistema nuevo y han hecho una fortuna y ahora quieren venir a gastársela aquí. A mí me parece fenomenal, tienen muchas ganas de sol. Los rusos muermos se parecen todos pero los rusos alegres se divierten cada uno a su manera. Y no he bebido pero me apetece. ¿Quieres algo?

–Lo que quiero es irme pronto a casa, mañana nos vamos a Barcelona al concierto de los Eels y vamos a salir temprano.

–¿Esos no son los de tu camiseta?

Martin lleva siempre esa camiseta amarilla con la cara de Mr. E.

–Esos.

–Van a tocar en Valencia, lo he visto en los carteles.

–Ya, pero yo quiero ir a Barcelona.

El grupo de Martin son cuatro. Cuatro veinteañeros guapos que lo hacen ni bien ni mal, pero con mucha fuerza. El grupo de Martin se llama Foneda Cox, como el boxeador, porque hay uno de ellos que lee fanzines y cómics valencianos, los mejores de España. Los findes tocan en la azotea de un hotel en quinta línea de playa, o en El Cisne, y si tienen suerte los llaman para fiestas particulares. Alguna vez pillan un bolo fuera de Benidorm, bodas en Albacete. Tienen su podcast y quieren sacar un disco, pero lo cierto es que no sacan ni cuatro cuartos. A veces se juntan con unos grafiteros que intervienen fachadas y hacen mensajes antisistema en las paredes de Benidorm. Como si esto fuera Europa. Cuando Michela oye palabras como «antisistema» o «intervención», se pone mala. Tienen muchas ideas, que puede ser como no tener ninguna. Tocar en una fiesta de las grandes, en un concurso de la tele, de teloneros en alguno de los mil festivales de verano. Eso quieren. Tocar para los rusos.

–Conocen a quien hay que conocer –dice Michela–. Allí en Rusia. Te voy a poner un negroni.

–No.

–Pues una cerveza.

–¿Pero cuánta gente va a ir a la fiesta? ¿Qué día es?

–El sábado que viene. –Michela va al mueble bar, se prepara lo suyo y saca una lata de cerveza. Coloca la lata delante de Martin–. Te voy a pedir un favor. Bueno, no. No es un favor.

Martin la mira.

–No me interesa.

–Y tú qué sabes.

–Lo que sé es que te conozco.

Michela da un trago a su negroni. Se mete un hielo en la boca. Lo saborea bien y luego lo escupe despacio en el vaso.

–No es más que llevarte un mechero.

–¿Un mechero?

–El mechero de Reggie Kray.

–El mechero de Reggie Kray. ¿Todavía sigues con eso?

Reggie Kray. Los gemelos Ronnie y Reggie Kray, los Kray Twins, The Firm. Los más temidos y oscuramente envidiados y admirados representantes del crimen organizado del este de Londres durante los años cincuenta y en el Swinging London de los sesenta, leyendas del pop y asesinos feroces. Amenazas, extorsión, incendios provocados, robos y sobornos, asesinatos con público incluido, siempre con ese swing, zapatos de puntera fina, gafas de pasta, cigarrillo. Callejeaban por los pubs del East End con ese estilazo a lo Michael Caine: chaqueta ajustada, corbata estrecha, sello de oro en el meñique, caminando despacio, con ese cuidado de los cuerpos grandes cuando llevan ropa cara, como con miedo a romperla, antes de acabar con sus corpachones de boxeador en las prisiones más sórdidas, de Shepton Mallet a la Torre de Londres, por el asesinato de un miembro de una banda rival.

25

–¿No es increíble? –sonríe Michela–. Después de tanto tiempo. El ruso compró el mechero en una subasta hace dos años. Le he estado siguiendo el rastro desde entonces y ahora va a estar aquí, aquí en Benidorm, en la fiesta.

–Por qué no se lo pides a Oliver o al alemán.

–Porque son unos cretinos.

–A ti todo el mundo te parece un cretino.

–Todo el mundo menos tú.

Martin se bebe la cerveza de un solo trago y da una palmada en el aire, como poniendo fin a una conversación que ha tenido solo consigo mismo.

–Te crees que soy gilipollas o qué. Si no se lo pides a Oliver es que es más chungo todo de lo que me estás contando.

–Va a ser tan fácil como lo de las alemanas del aeropuerto.

–Tengo cosas mejores que hacer.

–Estás perdiendo la oportunidad de tu vida.

Martin se dirige a la puerta del piso.

–Has cerrado con llave –dice con la mano en el pomo.

–Y me la he tragado después.

–Abre la puerta.

–No has entendido nada.

–Sí te he entendido perfectamente, me da igual no tocar.

Martin cruza el salón y abre la ventana de la terraza. El apartamento es el último de toda la planta y apenas hay un metro entre la terraza donde Michela tiene una bicicleta estática que no usa y una barbacoa que tampoco y la escalera de incendios. Abajo hay una piscina donde hace un par de veranos un chico se mató tirándose al agua desde el balcón de un tercer piso y un familiar ha atado un ramo de flores de plástico a una farola.

–Qué dramático eres –dice Michela. Pero no se levanta de la barra. Detrás de ella hay un cartel de *Alfie,* una peli que vio mil veces cuando vivía con su padre.

–Abre la puerta.

–Pero cuándo has tocado para mil personas, tú.

–Ya lo haré.

–Me aburres. Solo sería quitarle el mechero, lo lleva siempre encima, le da buena suerte, se lo he visto en mil fotos. No te llevaría ni un minuto.

–Dame las llaves.

–No me estás escuchando. Estás diciendo que no solo por decir que no. Es un argumento barato. Es un argumento de perdedor.

–Dame las llaves, te digo.

Michela se encoge de hombros. Le arroja las llaves de la puerta.

–Tú a mí me aburres más.

Benidorm, la ciudad que nunca duerme, la ciudad con todos los husos horarios a la vez, la ciudad de los bares abiertos hasta pasado mañana. El horario de apertura del Casino Mediterráneo da igual porque el sitio no tiene ventanas ni vistas al exterior, como ningún casino, para que no te hagas nunca a la idea de si es de día o de noche o qué. El casino está en la esquina del Rincón de Loix, es de vidrio azul noche y luce una enorme palmera de neón en la fachada de la avenida, un caminito donde suelen reunirse los habituales que rondan los aparcamientos de los casinos: viejos prestamistas, recaderos sin ninguna prisa, novias con ojeras más oscuras y profundas y terroríficas que su segura y próxima ruina.

El Potro está sentado en una moto que no es suya pero lo parece. El Potro aparenta veinte años menos de los cincuenta que tiene. El Potro se dedica a empeñar los Rolex y los BMW y los anillos de compromiso de esos jugadores que salen a las tres de la madrugada, la jeta color verde pálido, malos, con cuarenta de fiebre después de haberlo perdido todo pero con ganas de perder aún más, y ahí se encuentran siempre al Potro, dispuesto a atenderlos. El Potro está oyendo música y liándose un piti.

—Cuánto tiempo, Michela.

—Quítate los cascos.

—¿Qué dices?

Michela le quita los cascos con la mano.

—Digo que las canciones son todas diferentes pero el silencio es siempre igual.

—Y a mí qué me cuentas, tía.

—¿Has visto a este por aquí?

Michela saca su móvil y le enseña una foto de Kaminski. Ha sido Vilches, en uno de esos raros momentos de productividad y lucidez tan característicos suyos, unos momentos tan escasos y brillantes que le resuelven un mes de papeleo de mesa en cinco minutos, quien le ha pasado el dato de que a Kaminski le van el póquer y la ruleta, las apuestas, esas cosas. Como a todos los rusos. Después se ha vuelto a dormir sobre la mesa de la comisaría. Vilches es uno de esos polis que entraron en el cuerpo con una fe absoluta en la ley y en el orden. Primero perdió la fe en la ley, luego perdió la fe en el orden y después pasó directamente a los IMAO de tercera generación. A veces, una tarde o dos por semana, cuando se despierta de siestas de cuatro horas, aparece por la comisaría. El resto, no.

El Potro coge el móvil de Michela. Se queda mirando la foto unos segundos.

—No, guapa.

—¿Seguro? Mira otra vez.

El Potro dice que no con la cabeza. Michela se fía de él, se conocen, tuvieron un rollo hace años que ninguno de los dos recuerda. Es bueno, eso.

—Está bien —dice Michela—. Avísame si lo ves.

—¿Ya te vas? ¿No quieres tomarte algo luego?

—No tengo tiempo.

—Pues vete a matar viejas.

Michela se dirige a la avenida; es verdad que no tiene tiempo, pero siempre tiene ganas.

–¡Dile a Kyle que le debo una ronda! –le grita el Potro.

Michela se para en seco.

–¿Mi padre está en Benidorm?

–Hace un mes, ¿no? Más o menos. Tú sabrás.

–Ya.

–Llámalo y dile que nos vemos mañana.

Michela asiente. Cruza la avenida con la vista clavada en el paso de cebra, que de pronto le parece unas escaleras en las que podría tropezarse en cualquier momento. Su padre está en Benidorm. Lo llamaría si supiera su teléfono, que él nunca le dio.

Cuando conduce piensa mejor y cuando piensa tiene que hablar, muy deprisa, sin parar, y muy alto, hasta que acaba solucionando lo que tiene en la cabeza y entonces deja el coche y por fin se calla. Durante un par de años estuvo metida en BlaBlaCar haciéndose la antigua Ruta del Bakalao de Madrid-Valencia varias veces por semana solo para hablar con cualquiera que no la conociera y resolver sus asuntos. Luego nada más llegar a Madrid se daba media vuelta porque Madrid no le interesa absolutamente nada, aunque una tarde llegó hasta el Santiago Bernabéu, que le pareció la prisión de alta seguridad más elegantemente fea del mundo, y la más cara. Michela descubrió que además el BlaBlaCar es mucho mejor que el Tinder: no te compromete a nada y moteles de carretera hay un buen puñado a lo largo de toda la A3. Y además te pagan la gasolina. Tuvo algún que otro accidente, de noche, sin importancia, y lo dejó. Ahora coge el coche patrulla de la comisaría cuando está en depósito. Es más cómodo. Es más barato. Y es más aburrido.

Al chico se lo ha levantado hace un rato a la entrada del camino de tierra hacia un restaurante de muchos tenedores que acaban de inaugurar, y en el que había colocado una cadena cortando el paso para cobrar un peaje de dos euros a los clientes que llegan. Michela lo ha tenido claro cuando lo ha descubierto ahí sentado debajo de una sombrilla enchufado al Spotify, junto a una cadena enganchada de palmera a palmera, a cuarenta grados. Podría colarlo fácilmente en la fiesta de Kaminski, seguro que es ágil con las manos. Darle cien pavos y hasta nunca. Lo ha sentado en el asiento de atrás. Es pequeño de estatura, y tiene que bajar el retrovisor para verle la cara.

–Cómo te llamabas.

–Ya lo has visto en mi DNI.

Tonto no es. La ha calado rápido.

–Esa no es una respuesta, y a mí me llamas de usted.

–Arturo. ¿Vamos a la comisaría? Por aquí no se va a la comisaría.

–Vamos a ver qué pasa.

Arturo debe de tener unos veintipocos pero parece de vuelta de cuarenta. Michela lo mira por el retrovisor. Calcula si le vendría bien para lo suyo, si tiene el miedo suficiente o si le falta o le sobra.

–¿Puedo ver su placa? –le pregunta Arturo.

–No.

–¿Dónde está su compañero?

–En el fondo del mar. Hacía demasiadas preguntas.

–Quiero ver su placa. Tengo derecho.

Michela se saca la pistola del cinto y la coloca sobre la guantera.

–Ahí la tienes la placa.

Arturo aparta la vista y se queda mirando por la ventanilla. Están alejándose de Benidorm: ahora están en esa tierra de nadie donde los anuncios llevan cinco años sin que los cambien, pelados, azul pálido, quemados por el sol.

–Qué quiere.

Arturo la mira en el retrovisor.

34

–Quiero divertir a los rusos. Tenemos que divertir a los rusos, y eso que los rusos sí que saben. El vodka, el polonio 210 y una perra callejera en el espacio. A ver quién supera eso. Como no se ponen nada morenos vienen aquí, a España, a este sol flamenco embotellado, no sabemos muy bien a qué. A comprar pisos, apartamentos en la playa, la casa más grande de toda la Costa de la Luz, un chalet de un kilómetro cuadrado de terreno construido con un pinar mediterráneo y un campo de golf con un presidente dentro. Los vemos en las discotecas y en los coches y cenando en los restaurantes, en packs de seis o siete, a los rusos; sí puedes ver a un francés o a un inglés solo, suelto, pero a un ruso no. Al ruso suelto lo encuentras únicamente merodeando por las entradas de los hoteles de cinco estrellas, ni entrando ni saliendo, como si no acabara de decidirse aunque sabe muy bien lo que quiere. Quiere el hedonismo español. Ese hedonismo dionisíaco que deben ver solo los turistas y las agencias de viajes porque la realidad es que aquí lo que estamos es siempre muy enfadados y muy quemados, y no precisamente por el sol. Así que el ruso quiere ese hedonismo que no disfrutamos, quiere esos precios que no podemos permitirnos y quiere esa siesta que tampoco nos echamos. Y quiere música, la música en la noche. La fiesta de Benidorm.

–De acuerdo al ciento por ciento.

–Tú qué sabrás.

Arturo se toca la cadena que lleva al cuello y saca una cruz, enorme, una cruz ortodoxa del tamaño de una mano, el tipo de medallones que llevan los raperos.

–Esto me lo ha regalado un ruso, qué le parece.

–Me parece muy bien.

–Pone NIKE. Un cristo sobre una calavera donde pone NIKE, tienen como mil años estas cruces, y ya ponían anuncios. Los rusos, esos sí que son modernos. Y los chinos todavía más.

—¿De dónde la has sacado?

—No la he sacado de ningún sitio. Me la han regalado.

—Quién.

—Uno que se llama Kaminski.

Michela gruñe. Kaminski. Joder, no han hecho más que llegar y ya están por todas partes. Demasiado arriesgado: el chaval este podría irle con la historia en cuanto se baje del coche. Reduce velocidad. Se echa a un lado de la carretera y frena el coche patrulla. Desbloquea la puerta.

—Fuera. Largo. Me aburres.

Arturo se baja del coche.

—Hasta luego, agente.

Hay matones guapos como en las pelis, pero los matones feos son mucho más efectivos, porque solo tienen una manera de sacudirse la rabia que llevan dentro por ser feos. Rob había sido uno de esos flacos feos allá en Leeds, pero antes de venir a Benidorm se hizo arreglar la jeta con toda la pasta que había ganado paliza a paliza, a lo largo de cincuenta años, suavemente. Había conservado, eso sí, una mala sangre cada vez más negra y más podrida y una fama de ser hombre de lealtad impecable y caprichos impredecibles de los que se cansa enseguida.

–No me jodas con tus historias –cecea Rob. Eso sí que no tiene arreglo. Rob está sentado al fondo muy hondo de un pub con fotos de la reina madre por todas partes pero con un gran jamón cinco jotas detrás de la barra. Son las siete de la tarde. O las nueve de la mañana.

–Es un asunto de familia –dice Michela.

–De tu familia –la interrumpe Rob señalándola con el cigarrillo apagado–. Todos tenemos una, Mike.

–Familia mis cojones. –Eso lo ha dicho Winnie, la mujer de Rob, en español. Winnie es una rubia de unos treinta años, tres veces viuda, de cejas rapadas y pintadas en arco.

Y lleva razón.

–Kaminski va por libre, no es de ninguna banda, solo

tiene a unos primos y nada más. Está aquí por negocios. Tiene las manos limpias –dice Michela.

Rob se lleva el dedo índice a la frente, como queriendo decir algo de que los rusos piensan diferente o están locos o qué.

–Tú sabrás en qué te metes, Mike.

La franquicia mediterránea de la banda de los Grant de Leeds son oficialmente tres: Rob, Winnie y su cuñado, más siete u ocho parientes intercambiables y sin nombre de la banda que igual están en Leeds que en Benidorm que en La Línea de La Concepción. Los Grant son los que metieron a Michela en la policía en un apaño con el que ganan todos, un cincuenta-cincuenta que lleva quince años funcionando como un pinball de premio seguro: Michela consigue protección total dentro del cuerpo y los Grant una pata dentro de la Policía Nacional. Y todos tan contentos. A Michela no le han tocado ni un pelo nunca, así es. Esta temporada primavera-verano los Grant se han metido a fondo en el sector turístico y en cada vuelo Leeds-Benidorm han colado su quilo de farla. Samsonite roja con cinta verde. Michela en Aduanas. Vuelo de las 18:15. Viajar, perder países. Y maletas.

Michela mira a Rob. Podría amenazarle con dejar su puesto en Control de Aduanas si no le echa una mano, pero a esa gente no la amenaza nadie. No parece que haya forma de convencerlos. No lo entiende. El mechero de Reggie al fin y al cabo ha acabado siendo un talismán legendario, un amuleto, el anillo del Señor de los Anillos para cualquiera que lo tenga en sus manos, el Anillo de Poder.

Winnie se levanta, pesa como noventa quilos, uñas de los pies color pastel, y va a la barra. Trae tres latas de cerveza y se vuelve a sentar junto a Rob.

–Olvídate del tema, Mike.

En el bar, de unos doscientos metros cuadrados, no hay absolutamente nadie más.

El ficus del jardín se ha vuelto aún más voraz y bestia que como ella lo recordaba de pequeña, el vigilante oscuro y siempre presente del falso mito de la casa familiar, arrojando una profunda sombra sobre la piscina vacía, cubierta de estratos geológicos de hojas podridas y colillas y condones. A Michela no le gusta nada venir aquí, al barrio, a la casa. No lo ha hecho en varios lustros. Saca las llaves del llavero con la cara de MacGyver. Cuando abre la puerta se encuentra las cosas. Hace un frío que pela ahí dentro, las cortinas de pana llevan mil años echadas, las cosas no las ha tocado nadie en mucho tiempo y se han cubierto de ese vello de polvo antiguo, muy bonito, muy europeo, muy poco Benidorm. Se queda de pie en medio del salón como si este fuera el escenario de una obra que ya acabó, mal. Ahí están el tocadiscos junto al sofá color butano, los vinilos de su madre, los cientos de libros de Kyle. Desde el salón ve los pies de la cama de sus padres, esas sábanas color añil, por qué los fantasmas se representan siempre con una sábana, piensa de pronto, como si el espíritu del muerto pillara para salir por ahí lo primero que encuentra, que no es otra cosa que la tela que lo cubre. Se dirige al pasillo. Ahí, al fondo, está el póster de los Kray Twins. De tamaño natural. Van vestidos con chaqueta entallada, corbata estrecha, gafas negras, los más guapos del barrio y de todo el East End, desplegado allí a sus espaldas de carne: Spitalfields, Whitechapel, Shoreditch mucho antes de ser Shoreditch. Zapatos de cordones y charol. Ya nadie viste así. Ronnie y Reggie Kray, «tus tíos de Londres», como decía Kyle, algo que ella tomó al pie de la letra durante demasiado tiempo, si es que no lo sigue creyendo aún.

Michela regresa al salón. Levanta unas revistas, las cosas, ropa, con la punta del boli como si fueran las pruebas de un homicidio donde no se pueden dejar huellas. Hay papeles ahí, recortes de prensa, la entrevista de Kyle al último preso de la cárcel de Maze. Debajo de todo eso está la grabadora Nagra con la que grababa las entrevistas para su libro. Las grabaciones. La entrevista a Terry B., el compañero de celda de Reggie Kray, un delincuente de tercera, un descuidero del metro que acabó viviendo en Benidorm y que fue quien trajo a Kyle hasta aquí, hasta la perla de la Costa Blanca, en el año olímpico de 1976.

Kyle y Terry B. se conocieron en el Mars, el pub de la escalinata, un mes de abril. Terry B. era un tipo pequeño y fibroso, de bajo mantenimiento, de esos que comen una vez al día y duermen una noche por semana. Contaba cosas de Reggie cuando estaba borracho, y cuando estaba sobrio también. Era su tema, su forma de vida. Era su justificación en el mundo. La entrevista de Kyle duró varios días, Terry B. le contó hasta lo que Reggie hablaba en sueños, los poemas muy malos que escribía en las servilletas, cómo se despertaba llamando a su madre en medio de la larga y santa noche carcelaria. La entrevista duró días, sí, en casa de Terry B., un pisito de medio metro cuadrado con la persiana siempre echada y la luz encendida. Estaba arruinado, no tenía ni un duro de los de antes, se lo gastaba todo en perico y en el chapero del Mars. La última noche de los cuatro días de

40

entrevista, Terry B. le ofreció el mechero de Reggie. Le ofreció vendérselo por cuatro cuartos, para sobrevivir lo que quedaba de mes, para salir del paso de Semana Santa. Kyle se lo compró sin dudarlo. A cambio Terry le pidió también que hablara bien de él en el libro, que se saltara lo de las drogas. Que lo sacara guapo, vaya. El mechero de Reggie Kray por cien duros. En eso quedó la cosa. «El día más feliz de mi vida.» Eso le dijo Kyle a Michela muchos años después. Años después también de que se lo robaran.

Michela deja el Nagra donde estaba, debajo de todos los papeles del libro de Kyle: *Las siete coronas,* un paralelismo entre los dramas regicidas de Shakespeare y las bandas de mafias del Londres de los cincuenta. Nunca lo terminó. Junto a un cenicero lleno de colillas hay una foto de su padre, de Kyle, sentado en un jardín en Eton, su sombra larga como su fortuna y su fortuna proporcional al número de sílabas de su apellido milenario. Hace un par de años Michela tuvo que viajar a Inglaterra, a Londres. Estuvo solo tres días, por trabajo, investigando a un médico inglés que emitía falsos diagnósticos de intoxicación alimentaria a sus compatriotas, uno de tantos bulos que han pulido el dorado nombre de Benidorm. Se quedó por Whitechapel, como no podía ser de otra manera. Le gustaron el cielo color merluza hervida, la amabilidad algo rural de los parroquianos, esa solvencia sin aspavientos de país que parece hecho para gente de cincuenta años para arriba, las acumulaciones. Tuvo una tarde libre. Se fue a ver la Torre de Londres, a buscar los fantasmas de sus ancestros y los cuervos proféticos, y allí estaban. Pensó que en Londres todo parece usado dos veces, una por la historia y otra por el individuo, y se preguntó qué es lo que mueve a la historia a trascender en un lugar como Benidorm, si las vacaciones de doce meses y las borracheras de una semana y el ocio de veinticuatro horas producen

41

algún tipo de acontecimiento histórico, de revolución, de clímax, de conquista, y pensó que no, que aquí la ambición calza la pequeña escala de la delincuencia, el trapicheo, las escaramuzas, el pelotazo urbanístico y político, si piensas a lo grande. Y nada más. Nos queda eso. Ya no hacemos historia. Hacemos sangría.

Michela mira alrededor, busca algo que le diga si su padre ha estado ahí hace poco, algo que pueda decirle quién es ahora, pero esa camiseta y esa máquina de escribir que parecen más recientes no le dicen nada, o es que las cosas se manchan de las personas cuando las recordamos juntas y ella ya apenas tiene recuerdos de Kyle. O quizás no le dicen nada porque no parece que haya una elección detrás, sino alguien a quien no le importan las cosas como tampoco le importan las personas. Cuando se marcha cierra con tres vueltas. Luego se va al San Remo y se toma cuatro yzaguirres seguidos. Después se levanta y pasa el resto de la tarde poniendo multas a cualquier tipo de vehículo que se le cruza por delante.

Martin ha ido a comprar un par de docenas de latas de cerveza y cocacolas y después se ha colocado en la carretera hacia la A3, en el último semáforo de salida de Benidorm hacia la autopista. Es domingo, y los domingueros de vuelta a casa compran lo que sea para el viaje. Podría vender también en la playa, pero aquí, a veces, en su cabeza, se ve saltando dentro de cualquiera de los coches, enfilando kilómetros hacia el mito de Barcelona y de Berlín y de lo Cool, la gran «C», dejando esto atrás. Cambiando los rascacielos por las catedrales góticas y los pubs de los hoteles por el Razzmatazz. Casi siempre lo vende todo en menos de media hora, pero hoy no hay apenas coches saliendo de Benidorm. Son las ocho y media. Es raro. Todavía no le apetece nada irse a casa y se sienta encima de la nevera portátil a beberse una de las latas. Tres latas, en realidad. Se le ha parado delante una lagartija tan quieta que parece de piedra pómez.

–¿Me vendes una cerveza o te las vas a beber todas?

Michela ha detenido el coche delante de él, en el semáforo. Ha pasado toda la tarde conduciendo, ha llegado hasta Murcia pensando lo que le va a decir, y luego ha vuelto directamente a donde sabe que está cuando se queda sin un duro, que es casi todos los fines de semana.

–¿Cuántas quieres? No he vendido nada. No está pasando nadie.

–Claro. Mañana es fiesta. Todo el mundo se ha quedado de puente.

–Joder.

–¿Quieres que te lleve a casa?

–No.

Martin hoy lleva las uñas pintadas de gris oscuro y Michela no tiene idea de qué códigos son esos, si es punkie o qué; le parece indescifrable y eso le gusta.

–Mira atrás –le dice Michela.

Martin mira en el asiento de atrás. Hay una guitarra eléctrica, una Fender, nueva, ligera, como si levitara. En realidad no es tan nueva, Michela la ha comprado de tercera mano por eBay, pero eso no se lo va a decir. Quién le robó la suya, eso es algo que tampoco le va a decir. Lo que sí sabe es que sin guitarra Martin no tiene nada que hacer. Sin guitarra no tiene un duro. Sin guitarra no tiene grupo. Sin guitarra no tiene nada.

–Está bien –dice Martin, subiendo al coche.

–Esta es la última que te pido.

–Ya. –Coge la guitarra. Va a darle las gracias pero se muerde la lengua.

–Piensa que vas a tocar para no sé cuánta gente, sales ganando, te sacarán en la tele, seguro. Una oportunidad así no se presenta dos veces.

–Claro.

–De nada, por cierto.

–¿Está afinada?

–No puede darse cuenta de que le falta el mechero, ¿me oyes? O nos metemos en un buen follón –dice Michela–. Lo mejor es que lo hagas cuando vayas a saludarlo después de tocar, mientras le das las gracias y todo eso. Va a estar borracho, así que lo tienes fácil. Pero espera a que esté solo.

44

–Ya veré cuándo lo hago. Qué aspecto tiene.

–Mira –dice Michela sacando el móvil–. Es este.

Le enseña una foto de Kaminski. Está a los pies de la Torre Eiffel, una foto de Instagram. Parece un tío simpático, muy colorado por el sol, un temporero rumano de manos cuadradas y cuello corto.

–Nadie va a sospechar de ti.

Martin no dice nada. Solo la mira.

–Te has cortado el pelo –le dice.

Michela se toca el pelo recién cortado: lo ha hecho ella misma justo antes de salir de casa, esa mañana, en cinco minutos, sin espejo, sin mirar. Se le ha quedado el pelo todo revuelto como el dormitorio de unos novios nuevos.

Martin sube al coche. Le toca el pelo.

–Te invito a casa a cenar –dice ella.

Martin sonríe. Michela arranca, también sonríe, tiene un hoyuelo que le sale en las raras ocasiones en que lo hace, en la mejilla izquierda. Conduce por la carretera desierta de regreso a Benidorm, van en silencio, ese silencio, hasta que llegan a su calle, una calle que da al mar pero dándole la espalda, mal, por detrás, una calle castigada o enfadada como la propia Michela, que por eso la escogió para vivir, y donde siempre hay sitio donde aparcar. Salvo hoy. Está la calle entera llena de coches. En realidad todo el barrio y todo Benidorm están ocupados por los coches de los domingueros del puente, algunos aparcados en doble fila.

–Putos guiris todos –dice Michela.

Dan otra vuelta a la manzana. Más coches y motos y patines eléctricos, ya es casi de noche y aun así hay gente sacando toallas y sillas desplegables y niños de los maleteros. Más calles, más vueltas, más coches. Bocadillos, bolsas de hielo, tinto de verano.

–Ya sé adónde vamos a ir –dice Michela. Se dirige a una

callejuela y va directa a un solar donde entra con el coche a duras penas sobre los cascotes y los ladrillos rotos, un solar enorme junto a un edificio abandonado. Aparca. Apaga el motor. El mar, que no está ahí, está de todas formas.

–No me líes –dice Martin.

Pero lo lía. Lo hacen ahí mismo, en el asiento del conductor, como dos quinceañeros, la cara de Michela iluminada con las luces color púrpura y después rosa y después verde de una fuente cercana donde un perro flaco, blanco, chapotea a lo loco hasta que los descubre y se los queda mirando, muy quieto, mientras se hace de día.

De madrugada desayunan solos. Se toman dos Red Bull sentados dentro del coche aparcado debajo de una palmera gigantesca, miran como el sol se levanta atravesando el edificio hueco, de fachada a fachada, de abajo arriba. Martin se pone a canturrear la música de *The Wire,* que es lo que hace siempre después de echar un polvo.

Los pescadores del puerto se sacan tres perras, hombres de todas las edades y nacionalidades pero solo hombres, al menos es muy raro ver a una mujer pescar con caña o con red ni en ríos ni en mares ni en ninguna parte. Esto es así. Martin llevaba buena parte de la mañana sentado en el muelle, tirando la caña sin pillar ni un salmonete, la cara quemada debajo de la camiseta con la que se cubría la cabeza. A eso de la una se le acercó una niña, aburrida de hacer la cola del barco del tour a la isla. Lo saludó. Una niña con gafas y chanclas de *Frozen*.

–Hola, señor.

Martin no dijo nada.

–Bueno.

La niña se quedó un minuto mirando el hipnótico reflejo tornasolado del gasóleo flotando sobre la sopa del agua del puerto.

–Ay qué calor hace en Benidorm –dijo, y luego tiró un buen trozo de su bocadillo a los peces, gordos y negros, de peli de ciencia ficción. Martin levantó la vista.

–No tires migas.

–Por qué, oye.

–Porque si les tiras comida los peces no van a mi anzuelo.

–Ya.

La niña encogió los dedos en las chanclas: llevaba las uñas pintadas de rosa. Contó hasta siete en inglés, muy alto. Tres veces. Cuando Martin recogió el sedal para cambiar de anzuelo, la niña tiró otro trozo de pan y los peces nadaron como torpedos hacia las migas.

–Te he dicho que no tires pan, niña, joder.

–Ya.

Tenía los dientes separados y pequeños y estrechos. El trozo siguiente que tiró fue del tamaño de un puño. Martin miró a la niña. La niña sonrió. Primero achinó los ojos, después sacó la tripa y luego la lengua.

–Hay que joderse con la barracuda. –Martin se levantó de un salto, se sacó la chancla derecha y le dio un par de buenos azotes en la mano. Uno y dos.

Qué silencio tan expresivo.

La niña se quedó tan sorprendida que abrió la boca, pero no dijo palabra. Luego la cerró. Se dio la vuelta y se marchó muy deprisa, andando con sus pies planos. Martin volvió a sentarse a pescar. Al cabo de unos minutos llegó la niña, que sabía sus derechos constitucionales como todas las niñas de ahora y se había ido derecha a la Policía del Puerto a poner una denuncia, la pequeña letrada. La policía de turno con la que venía resultó ser Michela. Cuando Michela llegó se quedó ahí de pie, mirando a Martin. Llevaba el pelo recogido tan tirante como los pantalones y la camisa de uniforme.

–A ver. Documentación.

Era la primera vez que se veían. Se quedó un buen par de minutos leyendo su DNI. Luego se lo devolvió y se quedó observando sus piernas morenas, la nuca, las manos cuadradas.

Michela tiró el bocadillo a la papelera y le dijo a la niña que volviera por donde había venido.

A Michela no le gusta la gente que llama a la policía. Eso fue hace unos cinco años.

Oliver es de esos que van con chavales mucho mas jóvenes que él, tiene unos veinte años pero se mueve siempre
con alumnos de instituto que bajan la voz cuando se acerca,
se vuelven a mirarlo cuando pasa de largo, lo conocen por
su nombre. Oliver lo sabe, como sabe que entre la gente
de su edad no lo mira ni lo busca nadie para nada, y las chicas mucho menos. No llega a abusón, no llega a macho alpha
de ninguna banda de quinceañeros en bicicleta, en realidad
es un solitario que se encuentra fuera de lugar en cualquier
parte donde cae. A Michela Oliver le parece demasiado
fácil de manipular, tiene más miedo que rabia, que es algo
que Michela no traga, pero precisamente por eso, porque
no lo aguanta, le parece interesante.

–¿Qué estás haciendo aquí? –le pregunta Michela.

Están a la entrada del chalet de la fiesta, una finca camino de Terra Mítica con un palmeral entero, una parcela
tan grande que la conoce todo el Levante español, con una
cancela como las de los ranchos californianos, una unidad
móvil de la tele local, agentes de seguridad por todas partes,
focos, helicópteros, el sol poniente.

–Lo mismo que tú.

Michela se echa a reír. Sí le resultan algo inquietantes
algunos códigos de Oliver que se le escapan, demasiado
urbanos, muy poco Benidorm: hoy lleva una camiseta ho-

rrible de tirantes, como los italianos de las películas de los cincuenta. Es la primera vez que lo ve así. Parece que lleva una cadena y una medalla de señor de provincias pero es un tatuaje de una medalla del Jesús del Gran Poder.

—No lo creo —dice ella.

—Estoy invitado.

—Ya. Seguro.

Oliver saca el móvil y se lo enseña.

—Mira, la lista.

Y es cierto. Ahí esta la invitación, curradísima, con código QR y todo para que nadie se cuele.

—¿Y quién te ha invitado?

—Anton. Uno que conozco.

A Michela no le apetece nada que Oliver entre ahí y se encuentre con Martin y hablen y se eche todo a perder. Además Oliver es de esos que no ves, que se han ido sin despedirse y a los que no echas en falta hasta que te das cuenta de que han estado ahí todo el tiempo, escuchando cada palabra, viendo cada gesto, sin abrir el pico.

—¿Vas a ir así vestido? —le suelta. Oliver se mira la ropa.

—Sí. Sí, ¿no? —Alza las cejas—. ¿No?

—No. Definitivamente. Vete a casa y ponte otra cosa.

Oliver se encoge de hombros.

—No pasa nada. Tampoco nadie se va a enterar de lo que llevo. Son rusos.

—Tú mismo.

Oliver se dirige a la entrada, Michela pronto lo pierde de vista entre la gente, los flashes, los periodistas, las instagramers. Piensa deprisa. Va a coger a Oliver por un lado y le va a decir que están en una comedia y a Martin por otro lado y le va a decir que están en un drama, como hacen los buenos directores de cine, aunque la última que se va a reír va a ser ella, Michela.

La fiesta ha empezado ya. Cuándo empieza una fiesta es difícil de decir, estas empiezan cuando entra más gente de la que cabe, aunque aquí, en este chalet más grande que Valencia entera, eso resulte poco practicable. Se respira un cierto caché, ese halo volátil con mucho flow que cada uno lleva a su manera, una manera que se marca con la distancia de aproximación: están las modelos y las chicas muy guapas que se han maquillado sabiendo que casi nadie se va a atrever a acercarse a menos de cinco metros; están los de categoría cero, que van en packs de seis, como las cervezas; y luego están esos capos, cortos de estatura, con cara de antiguo adolescente muy abusado en el instituto, casi siempre sentados en una esquina, a los que todo el mundo quiere acercarse para decirles algo al oído. Y después está el resto del mundo, que no tiene ni idea, todos apretados ahí debajo del gran castillo de fuegos artificiales que enciende el cielo de las cuatro de la madrugada, lágrimas de champán ahí arriba, siempre como una promesa transparente, el cielo, cruzado de estrellas antiguas y satélites nuevos, lejos, pero ahí. Dónde empieza el firmamento. Aquí mismo y allá lejos. Después de los fuegos del cielo queda ese olor a azufre del infierno.

Son las seis y media de la mañana. La cuadrilla de los de San Sebastián, unos setenta, ellos con el jersey color pastel atado al cuello, ellas con tacones cuadrados, se están despidiendo en el aparcamiento. Volvos, Mercedes, un Tesla rojo. Al otro lado del aparcamiento se encuentran los marroquíes, y a la derecha los rusos, con sus rusas de piernas largas y mirada indescifrable. Cada grupo en su punto cardinal correspondiente. La fiesta no ha acabado ni de lejos, a esta gente le queda cuerda para días, pero van a pegarse una ducha y cambiarse para volver por la tarde. Michela conduce el coche patrulla por los alrededores de la casa, buscando a Martin, va despacio, con las ventanillas bajadas, ya hace calor, huele a carne quemada y al humo ácido de los fuegos artificiales.

Martin está sentado debajo de una estatua, hablando con una chica de kimono chino y Dr. Martens, una chavala que habla y fuma con esa certeza de que su juventud extrema va a durar tanto como sus cien tatuajes, es decir, para siempre. La estatua es de Valeri Karpin. De bronce. La chica, de Madrid.

—Martin —le llama Michela, acercándose.

—¿Te llamas Martin? —pregunta la madrileña.

—Se llama como yo diga.

—¿Y tú quién eres? ¿Su madre?

—Su agente de la condicional.

—Eso es de películas.

—Pues esta es mi película y en mi película no sales tú.

La madrileña mira a Martin. Martin se encoge de hombros.

—Ay qué coñazo, mira. —La chica se levanta y se va, más por pereza o por sueño que por otra cosa; lo deja claro con ese paso con el que se aleja, como si tuviera el dengue.

—¿Qué ha pasado aquí? —pregunta Michela a Martin—. ¿Por qué no me has llamado en toda la noche?

—No ha podido ser.

—Explícate.

—No he conseguido ni acercarme a Kaminski, yo creo que ni siquiera estaba en la fiesta. Además nos hicieron dejar los móviles a la entrada para no grabar nada y luego tuvimos que pasar por un detector para entrar y para salir.

—Ya. A ver, mírame.

Martin levanta la cabeza, tiene esas pupilas.

—Levántate y vete a tu casa.

–¿Y si lo intento fuera? ¿En la calle? Seguro que sale de aquí alguna vez, ¿no?

–Quiero que te levantes y quiero que te vayas a tu casa.

–Tampoco te pases.

–Largo.

Pero Martin no se larga. No puede ni levantarse del suelo, no puede ni con su vida. Mete las manos entre los brazos, cierra los ojos y se queda dormido ahí mismo, a los pies de Karpin. Michela mira la hora en el móvil. Busca a su alrededor, igual Oliver sigue por ahí, quizás debió pensar en él en primer lugar. Tiene que darse prisa. Se acerca a la entrada de servicio del pabellón principal, donde los contenedores de basura. Están los cocineros fumando chinos, de blanco, y los conductores de Cabify, de negro, como en la fiesta de Capote. Llama a Oliver. Hay una farola de luz de tungsteno encendida contra el cielo nuevo, fresco y sonrosado como carne viva. Oliver no contesta. Tiene el móvil apagado.

Oliver y Michela están sentados en el San Remo, de noche, mirando al mar y las gaviotas de mil quilos y los hielos del gin-tonic esmaltados con el resplandor de los neones azul y fucsia sobre sus cabezas. El San Remo es el bar preferido de Michela, su segunda oficina, en el San Remo se puede hablar de todo sin que pase nada. En realidad, en Benidorm se puede hacer de todo sin que pase nada. Si no que se lo digan a la legionaria. A Oliver lo ha encontrado hace rato, repartiendo flyers por el centro, unos flyers muy sucios porque los recogía después de que los guiris los tirasen al suelo. Apoyado en la esquina, a la sombra, a las cuatro de la tarde, harto. Tenía los dedos amarillos de la tinta, cien cortes en las yemas por el filo del papel. Lo llamó de un silbido y Oliver saltó al coche sin dudarlo. Hay dos tipos de chorizos, los que se levantan cosas en las tiendas y los que se levantan personas en las esquinas. Michela es de los segundos, también.

—¿Quién es ese que te invitó a la fiesta? —le pregunta Michela dando un trago al gin.

—Uno de los seguratas de Kaminski. Anton, su amigo de aquí.

—¿De qué lo conoces?

—De Alcohólicos Anónimos.

—Nunca hubiera dicho que fueras un alcohólico.

55

–Por eso somos anónimos –se ríe Oliver–. Qué va, yo no bebo nada, para eso estaba mi padre, yo no pruebo ni una gota, voy a las reuniones por eso, porque siempre estoy sobrio y les parece que tengo una voluntad de acero y me llaman cuando ven que van a caer.

–¿Y todo eso para qué?

–Por lo mismo que tú.

–El qué.

–Por la información. Por la confianza. Este Anton me llama siempre, es un tío muy tímido, habla muy poco pero en cuatro o cinco idiomas. Igual no es tan tímido y solo es ruso. Yo qué sé.

–Y conoce a Kaminski.

–Es su colega, además de su segurata.

Michela cierra los ojos.

–¿Te encuentras bien? –pregunta Oliver al cabo de un buen rato.

–Perfectamente. Qué hora es.

–Las tres.

–¿Y a ti no te espera nadie en tu casa?

–A mí no me espera nadie en ninguna parte.

Oliver se encoge de hombros. O le da igual o no tiene ni idea. Está comiéndose las aceitunas una detrás de otra y escupiendo los huesos bien lejos. Tiene unas ojeras pardas, oscuras, de sesentón.

–Coge una servilleta –le dice Michela de pronto.

–¿Eh?

–Que cojas una servilleta. Y un boli. Oye –le dice al camarero, un rubio con el pelo al uno que vive en el bar, arriba, en el almacén–. Tráenos un boli.

Oliver alza las cejas como los perros cuando preguntan algo. Cuando el camarero les trae el Bic, Michela le señala a Oliver la servilleta.

–Escribe. ¿Cuándo es tu cumpleaños?

–En octubre. El 3. ¿Por qué?

–Muy lejos –dice Michela con la mano–. Pon ahí todo lo que quieres por tu cumpleaños como si fuera hoy. Pero no cosas de comprar, no regalos ni chorradas de las tuyas. Cosas que quieres que te pasen.

–Cosas que quiero hacer.

–Eso. Eso es.

–¿Estás borracha?

–Claro. Y tú también.

Oliver coge el Bic.

–Venga. Va.

Oliver se queda mirando el mar y el cielo como si fueran una pantalla donde estuvieran proyectando algo solo para sus ojos. Se tira del labio de arriba y empieza a escribir.

–Sí que quieres cosas –se ríe Michela al cabo de un minuto.

Oliver sigue escribiendo por delante y por detrás, solo deja sin tocar la esquina de la servilleta donde te dan las gracias por tu visita.

–Ya –dice levantando los ojos.

–A ver.

–¿Cómo que a ver? –dice Oliver tapando la servilleta.

–¿Tú quieres que esto se cumpla o no?

–¿Y tú qué eres? ¿Mi hada madrina?

–Soy tu bruja. Anda, trae.

Están borrachos de borrachera blanda, dócil. Es tarde. Michela coge la servilleta.

–Tienes letra de niño de siete años.

Lee. Hay nombres ahí, sitios, el dibujo de una casa con chimenea como las casas que dibujan los niños de parvulario, CYNTHIA escrito con mayúsculas. «Aprender a bailar.» Se queda mirando a Oliver. Ya se ha comido todas las aceitunas.

–Ahora fíjate bien –le dice.

Dobla despacio la servilleta dos veces a lo largo y luego la coloca sobre la mesa, en pie como un edificio, con un pulso sorprendentemente firme para la borrachera que lleva. Luego saca un mechero y prende el borde superior. El papel empieza a arder en un filo de llama azul y a los pocos segundos la servilleta empieza a separarse de la mesa, primero un palmo y enseguida asciende de golpe sobre sus cabezas, crujiente, chisporroteante, muy rápido.

–Uala.

En pocos segundos está a varios metros, flotando como un fantasma en llamas hasta que el fuego la consume y solo queda un fogonazo azul revoloteando ahí arriba, azul y amarillo.

–Qué flipe –susurra Oliver.

Se quedan los dos mirando el punto donde ya no queda nada.

–Vamos al Mítico a comer algo –dice Michela.

Van a por el coche, está aparcado detrás de los rascacielos, en ese largo y estrecho corredor que queda entre la roca alta y pelada de la sierra y los edificios, ese acantilado, ese despeñadero donde nunca entra el sol, la montaña empujando los mil rascacielos hacia el mar, para nada.

El Club Náutico de Benidorm era uno de los sitios preferidos de Kyle cuando vivió aquí, desde aquel verano del 75, desde la primera vez que su pie británico pisó territorio ibérico y continental. Michela lo sabía porque a veces lo veía desde arriba, desde el mirador, lo miraba allí sentado en la terraza de la cafetería, a donde nunca la llevó a tomar nada, bebiendo un gin-tonic, solo, y callado. Hoy, a esta hora, las diez de la mañana, los alumnos de buceo del club están preparándose para salir en la lancha, caminan arriba y abajo por el muelle, metidos en sus trajes de neopreno como en una pequeña performance dentro de la delirante gran performance que es Benidorm y todo el Levante español. Michela está esperando a Sorayo, un sevillano que lleva pescando en el muelle desde que pusieron el mar ahí. Sorayo se acerca, tiene la piel de cuero de cazadora, lleva una bolsa de plástico con los cuatro peces que ha pescado y el último modelo de iPhone. Cuando llega a la mesa se queda parado y mira a Michela unos buenos diez segundos.

–Te estás haciendo vieja, Miguela –dice cogiendo una silla. Se sienta.

–¿Para qué querías verme?

Sorayo coge el platillo con el aperitivo de almendras, las deja caer en una mano y luego se las guarda para más tarde.

–Para hablarte de tu padre.

–Qué pasa con mi padre.

–Que se ha metido en un follón. Tu padre no te lo va a decir nunca, pero aquí estoy yo.

–Tú de mi padre no sabes nada.

–Ya. Y tú tampoco.

Sorayo tiene las uñas negras de brea pero luce esa pulcritud saludable de quien pasa mucho tiempo junto al mar.

–Qué es lo que tienes que contarme.

–Un ruso. Un ruso y tu padre Kyle aquí mismo ayer –dice señalando justo la mesa en la que se encuentran sentados–. Se pusieron a discutir. No hablaban muy alto, pero que discutían, eso seguro, y con muy mala sangre además.

–¿Sobre qué? ¿Quién era el ruso?

–Ni idea. No sé.

–¿En qué idioma hablaban?

–En inglés.

–Tú hablas inglés.

–Yo hablar no hablo nada pero lo entiendo todo. O tú te crees que yo vengo al club por esto –dice señalando la bolsa con los pescados.

–¿No hablarían de un mechero?

Sorayo se encoge de hombros.

–Puede ser. El ruso era uno de pelo rojo con barba muy fina pero una piel gorda. Ya me entiendes.

–¿Y el ruso qué decía?

–El ruso no. No sé. Es que venían turistas todo el rato y a veces no los oía bien. Y las paellas.

–¿A qué hora de ayer?

–No sé qué pasó o qué le dijo tu padre al ruso, o fue al revés, pero de pronto el ruso se puso a gritar y enseguida estaban los dos dándose de hostias ahí, ahí mismo –señala el bordillo–, en el suelo.

60

Michela mira el bordillo. Hay una mancha oscura. Puede ser de pescado, de aceite de cocina, de aceite de motor, pero no le gusta nada.

—A tu padre la cara no se la tocó, pero el cuerpo yo creo que se lo dejó de jota.

—¿Sabes dónde está mi padre?

—No. Yo solo sé las cosas de la gente cuando vienen por aquí, en cuanto desaparecen de mi vista ya no existen. Como en la tele. Esto es así.

—Un ruso.

—Tienes que dar con Kyle aunque él no quiera: si yo ya sé... Ya está mayor para meterse en esos saraos. Si tú estas vieja, Miguela, imagínate cómo está ya él.

Cuando Sorayo se va con la música a otra parte Michela se queda ahí en el club. Enciende un cigarrillo y lo tira enseguida. Pide un vermú. Que se bebe de un trago, y pide otro vermú. Escucha el viento en las banderas y en las velas, impaciente, constante, agita las toallas en la arena, allí a lo lejos. Frente a ella hay una mesa desocupada, con un cenicero Cinzano y el palillero español. En esa misma mesa, hace muchos veranos, se sentó una vez con Kyle. Igual no era esa, pero lo que recuerda seguro es que era la última de la terraza, que era de noche y que era, como siempre, verano. Kyle fumaba. Llevaba una gabardina como las de las películas de inspectores franceses encima del bañador porque había saltado fresco, y fumaba. Camel. Estaba ahí la cajetilla sobre la mesa y junto a la cajetilla el encendedor de Reggie Kray, que Kyle sacaba muy de tarde en tarde por miedo a perderlo. Lo había colocado encima de la cajetilla, como en un púlpito. Michela tenía la vista clavada en el encendedor, debía de tener unos ocho años, o diez, bebía Fanta, ni siquiera Coca-Cola, así que más o menos esa edad. Kyle se estaba bebiendo un gin-tonic. De pronto la miró como vol-

61

viendo a este siglo, a este país, a Benidorm, de todos los sitios posibles. Sonrió. Luego le señaló el servilletero y le dijo que cogiera una servilleta. Michela sacó una y la sostuvo en la mano. Kyle pidió un bolígrafo al camarero y se lo dio a Michela. Luego le dijo «Escribe ahí cosas que quieres que te pasen, cinco» y extendió los largos y nudosos dedos de la mano derecha mientras seguía fumando. «¿Lo que quiera?» Kyle asintió. Michela cogió el boli, era zurda, es zurda, y aún tenía mala letra de medio analfabeta, pero escribió con mayúsculas y en rojo porque el boli era rojo. Solo escribió tres cosas. No cinco. Como si a esa edad ya supiera algo que a los ocho nadie debe saber. Cuando terminó le pasó la servilleta a Kyle. Kyle cogió el papel. «Presta atención»: eso dijo. Entonces plegó la servilleta a lo largo y la puso de pie sobre la mesa. Encendió el mechero. Le guiñó un ojo. ¿Le guiñó un ojo? Probablemente eso ocurrió en su imaginación, con el tiempo, no en la realidad de esa noche de septiembre. Encendió el mechero y prendió el borde superior de la servilleta. La servilleta se elevó sobre la mesa, primero unos segundos, a la altura de los ojos de Michela, donde empezó a arder de verdad frente a su cara incrédula, y entonces ascendió de golpe. Un metro, tres, y ahí, como los efectos especiales de una peli barata, se disolvió en el aire con el chisporroteo de las brujas isabelinas. Kyle se quedó mirando el cielo. Sonriendo. Sin más. Michela bajó los ojos a la mesa donde empezaron a caer levemente las escamas de ceniza, se amontonó apenas la lluvia de ceniza negra y se quedó ahí. Los restos de una cremación. Luego miró a Kyle. Estaba leyendo un libro. Michela se preguntó a qué había venido todo eso, por qué no había leído su lista de deseos, o probablemente ya a esas alturas no se preguntaba nada. Y eso fue todo.

Ha llamado a todas las clínicas y los hospitales de Benidorm preguntando por un posible ingreso de su padre, Kyle McCain, pero en todos le dicen que no hay datos coincidentes hasta que en el Marina Baixa le confirman el ingreso de un inglés de la edad de Kyle que entró el día anterior sin conocimiento ni documentación. Así que Michela va al hospital. Los hospitales no le gustan, más que nada porque no aguanta que ni una enfermera ni nadie le diga lo que tiene que hacer y por dónde no puede entrar. El pasillo es muy largo, verde menta, a Michela se le hace aún más largo de lo que realmente es. Hay un par de perchas para suero al final del pasillo, un chaval mirando el móvil, un cincuentón de polo echando una bronca a una enfermera de tres veces su envergadura. Cuando abre la puerta de la habitación ve inmediatamente que el inglés no es su padre. Michela lo reconoce como uno de esos viejos recurrentes en comisaría, un hincha del Manchester que lleva cuarenta años viviendo en Benidorm y no habla una sola palabra de español. La habitación no tiene ventanas pero sí un póster enorme de Benidorm para dar cierta alegría. Un póster de los edificios, no del mar. El resplandor del neón es muy blanco, de nevera vacía, la piel del inglés tiene esa cualidad de ópalo de quien sale solo de noche y no ve nunca la luz del sol. Está sentado en la cama bien despierto. Cuando Michela comprueba que no es Kyle se dirige a la puerta para marcharse.

—Yo a ti te conozco —le dice el inglés.

—Y yo a ti también.

—Estás muy enfadada siempre para ser tan guapa.

—Lo que tú digas.

—¿Me pagas la tele? Son tres pavos al día.

—Cuídate —le dice Michela abriendo la puerta.

—Tú también, que falta te va a hacer. Dale recuerdos a tu padre.

Michela se detiene.

—¿Tú conoces a Kyle?

—Todo el mundo conoce a Kyle.

—¿Dónde está?

El viejo sonríe y se quita veinte años de encima de un plumazo.

—Te lo digo si me pagas la tele. No viene nadie a verme, pero los que vienen son unos ratas.

—De acuerdo. —Michela asiente. Espera. El inglés levanta las cejas, canosas y tupidas.

—¿Y?

—¿Tiene que ser ahora?

—Son las cinco.

Michela sale de la habitación, va a recepción, paga los tres euros de alquiler. Cuando regresa se encuentra al inglés viendo un reality de sopladores de vidrio.

—No me acuerdo —dice el inglés—. Nos vimos el martes, debía de ser el martes, sí, por donde los vascos, y estuvimos hablando un buen rato, ya sabes cómo es tu padre, que solo habla cuando bebe.

No tiene ni idea, Michela, de cuándo habla o no su padre.

—¿Y no recuerdas nada más? ¿Estaba bien? ¿Había alguien más con vosotros?

–Pero si yo no me acuerdo ni de dónde he estado esta mañana.

–Ya lo veo.

–Estuvimos viendo jugar al trinquete, de eso sí que estoy seguro. En Poniente, donde la tirolina.

–¿Sabes dónde vive?

–De tu madre. Vive al lado de una española de aquí, por el centro, una casa con perros. Eso es. Dos.

–Qué de mi madre.

–Que habló de Laurana, de tu madre, de su cara. De que era una belleza española. Como tú.

Michela se levanta para marcharse. Es un borracho. Y está bien así.

–¿Qué haces aquí? –pregunta Michela desde la puerta–. ¿Por qué no estás en tu casa? ¿Por qué vas sin documentación?

El inglés está jugueteando con el mando a distancia, sin prestarle atención.

–Porque me he quedado sin dinero para pagar el alquiler y era o esto o los calabozos y ya no tengo edad.

A veces la gente que no quiere problemas es la que va y te jode la vida. Se quitan de en medio muy elegantemente, sin que apenas te des cuenta, como si no hubieran estado ahí desde el principio, y así era en realidad. La nota de Laurana era muy fácil de leer pero muy difícil de entender: «Me voy de viaje.» Eso era todo lo que decía, pero no adónde ni a qué ni por cuánto tiempo se iba. La nota estaba encima de la almohada de la cama sin hacer. Sin hacer desde hacía días. En la pared había un cartel de Cindy Lauper, y en la mesilla color fucsia, cubierta de quemaduras de cigarrillo, un frasco de Arpège de Lanvin y una pila de revistas *MAD* y un walkman y toda esa parafernalia sin sentido que en su cabeza rubia platino representaba lo ajeno a Benidorm, representaba irse de allí, muy lejos, sin regreso posible, a cualquier parte que no se pareciera ni remotamente a la ciudad. Extranjero, diferente, excitante y nuevo. Moderno. Eso fue lo que quiso ver en Kyle: un mod de la recién estrenada *Quadrophenia*, un tipo muy distinto al resto de los turistas baratos de la sala de fiestas donde cantaba todas las noches hasta las tres de la madrugada, descalza, con un gran cardado de avispero y un John Player Special en la mano. Los meses que siguieron fueron rápidos, eufóricos, una larga promesa que se cumple de golpe, hasta que se dio cuenta, demasiado tarde, de que Kyle no era otra cosa que un profesor de historia contemporánea de la Queen Mary University, mucho más refinado de lo que esperaba, de maneras cuidadas y gustos excéntricos, como todos los británicos, y con quien no tenía nada que ver. Un señor. Un señor que había venido a Benidorm a escribir un libro sobre la mafia inglesa, y que no tenía la menor intención de volver a Londres, además. Un señor inglés.

Kyle estaba sentado en la cama. Ya había leído la nota, varias veces, como si cada una de ellas estuviera escrita en un idioma diferente. Miraba a su alrededor para comprobar lo que se había llevado, para hacerse una idea de cuánto tiempo podría estar fuera. Aún había ropa de Laurana por el suelo, como si hubiera decidido en el último minuto qué se llevaba y qué descartaba: ese vaquero roto, ese bañador que no era de su talla y esa hija de dos años gateando en la cama de matrimonio, mirando *La bola de cristal* en una de las pocas teles en blanco y negro que quedaban en Benidorm. Se había llevado ropa de invierno, de invierno de verdad, una parka color naranja que tenía por ahí, y el vestido negro. El vestido negro era uno de tela acrílica efecto seda que Laurana le había señalado en un escaparate por el centro días atrás, largo, con un profundo escote hasta el ombligo y tirantes de cadena dorada. Al día siguiente Kyle bajó a la tienda. Quería darle una sorpresa y regalárselo y después ir al Ku a celebrar lo que fuera, aunque a esas alturas ya sabía que no había nada que celebrar. Entró en la tienda, era grande y fea, con mucho aire, un local sin fondo con luces de plafón y decenas de cazadoras y abrigos de chinchilla y visones, esos chaquetones de piel que son un clásico de Benidorm y que Kyle nunca llegó a entender. Se acercó a mirar la ropa de fiesta, mal cortada, vestidos que parecían de segunda mano. El vestido negro no estaba ahí, tampoco en el escaparate, ya se había fijado al entrar. A la derecha se encontraban los probadores. Había un tío sentado frente a uno con la cortina corrida, un inglés de unos sesenta años, pelo duro, pelo de oficial de caballería, ese hueso largo de granjero o de título nobiliario. Se miraron un momento. El inglés llevaba unos Church's impecables aunque de quince temporadas atrás. En la tienda sonaba la última de Salomé. El inglés sonrió a Kyle mientras seguía el ritmo de Salomé golpeando con el índice sobre la rodilla cruzada. Llevaba un sello en el meñique. La cortina del probador se abrió y Laurana dio un paso afuera. Con el vestido negro, los brazos en jarras, el pelo en una coleta algo adolescente. Dio otro paso y se plantó frente al inglés. Se dio la vuelta despacio para que la viera bien, bien por delante y bien por detrás. Luego se agachó y le dio un pellizco en la mejilla. El inglés se ruborizó. Ella soltó una carcajada y luego algo en valenciano y volvió a meterse en el probador y cerró la cortina. No había visto a Kyle. Kyle se quedó ahí de pie, mirando al inglés, las gafas empañadas por el sofocón, colorado como un rábano. Kyle no dijo nada. No dijo nada en la tienda, no dijo nada luego en casa, no dijo nada nunca. El vestido negro le marcaba las bragas.

Así que se había llevado el vestido negro, y también una gorra de baloncesto que le daba buena suerte, y su sonrisa triunfal a destiempo. Michela se había meado en el tapisón rojo. Kyle la miraba gatear. Las babas, los mocos. Le cogió un dedo. La levantó del suelo y la sentó a su lado, sobre las sábanas color añil. Fuera, a la espalda de los dos, volaba el avión de Spantax que se llevaba a Laurana para siempre sobre la línea final y nítida del horizonte mediterráneo.

–Qué mal te mueves, chaval –grita Michela por encima de la música–. Parece que tienes siete pies izquierdos. Están en el San Remo, bebiendo y celebrando que es domingo, o algo así.

–A ver tú, lista –contesta Oliver–. Será bruja la tía.

–Yo cuando bailo echo fuego por el culo –dice Michela levantándose.

Está sonando «Da Ya Think I'm Sexy?» de Rod Stewart, a Michela le encanta Rod Stewart, no lo diría en voz alta pero es así, el pelo de Stewart, que debía de cortar el mismo peluquero de Tina Turner, esa melena como de pluma de pollo enfadado que cuando tenía veinte años Michela intentó imitar sin éxito. Michela lleva un bañador de chico, hasta la rodilla, con bananas, que le ha prestado el dueño del San Remo porque hace un rato le ha vomitado encima una chavala de despedida de soltera, una con una diadema con una polla encima, y además del bañador lleva una camiseta del SD Éibar. Está muy morena, va descalza y es verdad que baila bien.

–Mira –le dice a Oliver–. Ven para acá. Levanta los brazos.

El dueño del San Remo sube el volumen de la radio.

–¿Así?

—¡Eso es!

—Mira que te hago un twerking.

—¡A ver!

Oliver se agita: si tuviera carne en el cuerpo sería otra cosa, pero el dueño del San Remo suelta una carcajada.

—¡Mueve la cabeza! –dice Michela, y le sonríe. Le señala los pies, y luego se señala los suyos.

—¿Estás sacando morros? –pregunta Oliver. Michela le pellizca la nariz–. ¡Pues yo también!

—Ahí va, ¡dale, Oliver! –Michela agita los hombros, da palmas, una vuelta y otra más.

—Menuda mierda lleváis encima –dice el dueño del bar.

Bailan, mal, aunque nadie baila mal si le echa ganas, eso le dice Michela a Oliver por encima de la música, muy por encima de los decibelios permitidos a esa hora, pero qué más da. Esto es Benidorm. Las tres o cuatro parejas que quedan en el paseo marítimo se van uniendo a ellos. Oliver intenta subirse a la barra pero se cae del taburete. Michela es más alta. Salta. Se sube y tira de él. Encima de la barra Oliver parece el bailón de Christopher Walken: ahora que se ríe a carcajadas Michela ve que además, como Walken, tiene ese tipo de cara de niño viejo que cambia tanto cuando sonríe que al hacerlo parece una persona completamente diferente.

—¿Sabes lo único que te falta ahora, Oliver?

—Un micrófono.

—Un corte de pelo. Tú, baja la música y tráeme unas tijeras.

El del bar saca de detrás de la barra unas tijeras, de las de cortar jamón. Michela baja de la barra como puede y sienta a Oliver en un taburete. Oliver cierra los ojos y Michela empieza a cortarle el pelo, unos trasquilones ligeros, de pelo ralo, que van cayendo al suelo como lluvia de ceniza. Ahora está cantando Billy Joel, los camareros y los clientes no tienen nada mejor que hacer que ver como Michela le corta el pelo a Oliver. A pesar de ser las tres de la madrugada y estar muy borracha y de la mierda de tijeras le hace un *mullet* muy profesional. Cuando acaba, Oliver se mira en el espejo ahumado de la pared. Al sonreír le sale un hoyuelo en la mejilla izquierda.

La isla de Benidorm, esa roca rematada con una bandera de España hundiéndose sin remedio en un abismo de cinco metros, cubierta de matorrales de espino y plumones de gaviota y guano, es el sitio preferido de Michela cuando se harta de todo el mundo, es decir, casi cada tarde de cada día de la semana. Son las nueve pasadas. Ha quedado con Oliver a las nueve y media. Está sentada en la roca pulida con el culo ardiendo. Dirige los prismáticos hacia Playa Poniente, por donde espera verlo aparecer de un momento a otro. Los últimos turistas del tour de la isla se están largando ya, Michela mira como el barco del tour desatranca lentamente y se dirige hacia la playa del Mal Pas, hacia la costa donde a esa hora las montañas tienen la misma textura y color que los bolsos de corcho que venden por el centro. El fueraborda de Oliver aparece de pronto en el campo de visión doble de los prismáticos, el pequeño 007. Michela le hace una seña con el brazo y baja de roca en roca hasta llegar al puerto de atraque del islote. Salta al barco y arranca el motor; es un barco que no sabe manejar del todo, grande, viejo, confiscado a unos marroquíes que lo usaban a modo de patera, pintado del mismo color que el mar al atardecer a modo de camuflaje. Michela da la vuelta a la isla y se aleja unos quinientos metros mar adentro, virando un poco

hacia Finestrat. Para el motor. Ve a Oliver llegar en su fueraborda.

–¿Aquí? –pregunta Oliver.

–Sí. Está lejos. Por aquí no pasan ni la Guardia Civil ni
los cargueros ni los guardacostas.

Michela suelta el ancla del barco. Mira en el móvil las
coordenadas del lugar donde se encuentran, las archiva.
Guarda el móvil. Luego salta al fueraborda de Oliver y ponen proa en dirección de vuelta a Playa Poniente, donde el
sol se derrite, se hunde, desaparece.

Los rascacielos están empezando a iluminarse como los
ecualizadores de una mesa de mezclas. Todo viene con
música, en Benidorm.

Demasiados tatuajes para tan poco que decir. Demasiados tatuajes, etiquetas de Calvin Klein, cortes de pelo degradados al uno; hay más información en su persona que en un crucigrama de domingo. Aunque quiera parecer moderno, Anton es un ruso de los de antes, de los de verdad, de los de noches blancas a orillas del Volga comiendo carne cruda y bebiendo vodka.

–¿Y cómo es Anton? –preguntó Michela a Oliver. Oliver se había comprado ropa nueva, gorra de lana hasta las orejas, reloj nuevo, como si estrenara una vida que lo mereciera todo. Estaban sentados junto al ventanal de un bar de gasolinera, cerca de Terra Mítica, se estaba poniendo el sol y los reflejos en los parabrisas de los camiones atravesaban el bar de parte a parte como los trazos de un partido de ping pong.

–Un tipo triste.

Anton y Oliver tienen muy poco en común, lo único en que se parecen es en esa costumbre tan chejoviana y tan mediterránea de hablar hasta las tantas sentados en un escalón comiendo pipas de girasol. Ahora están caminando por una de las calles que suben hacia la estación de autobuses, una cuesta arriba que anticipa la sierra cercana. Anton ha llamado a Oliver hace media hora porque le han entrado de pronto las ganas de meterse un vermú dentro de ese cuerpo de casi dos metros que tiene, las orejas pequeñas, redondas y muy bajas, como de expresidiario. Un vermú con una rodaja fresca de pepino, eso ha dicho. Camina un poco a la deriva como si estuviera ya borracho pero no son más que los nervios. Oliver es quien conduce el paseo. Anton camina con las manos enlazadas a la espalda, como un ministro. Son las doce del mediodía.

–¿Conduce? ¿Tiene coche? –preguntó Michela. Afuera en la gasolinera los tanques de gasolina parecían rodeados de halos por el calor, como si fueran visiones de ácido.
–Uno eléctrico.
–¿Podrías meterte dentro?
Oliver masticó una patata fría y lacia. Pensó.
–Sí, pero yo no sé conducir.
–Descartado, entonces.

Oliver se detiene un momento en El Rápido, una cafetería minúscula con mostrador a la calle. Pide dos cafés para llevar. Mientras los preparan, mira el reflejo de Anton en el cristal de la cafetería. Cuando Anton se da cuenta, baja los ojos.
–Esta calle está muerta –dice Anton. Ha dicho muerta, como un español.
–Es domingo –dice Oliver.
Siguen subiendo la cuesta, cada vez más empinada. Y silenciosa. Anton se mete un chicle de nicotina en la boca.

–La casa –preguntó Michela; después pidió otra cerveza al camarero, señalando una de las cuatro latas que tenía sobre la mesa–. Cómo es.

–No lo veo –pensó Oliver un momento. Lo ha dicho con la convicción de quien ya toma decisiones–. La casa está llena de gente todo el tiempo, no tengo ni idea de si son familia de Kaminski o no, pero ahí viven como veinte personas, y las novias, sobrinos. Hay muchas habitaciones y algunas están sin nada dentro, sin muebles pero con gente. Es grande, con escaleras y patios. Es como el Casino Mediterráneo, muy fácil entrar y muy difícil salir.

Oliver gira a la izquierda y entran en una callecita fea, con el asfalto levantado por el calor y rastrojo alto y amarillo en la base de las paredes de los edificios de dos pisos. Huele a la basura recalentada de los contenedores de este barrio por el que no pasan ni los camiones de basura. Anton le sigue.

–¿Tiene novia?

Michela se levantó de pronto. Cogió el cinturón donde van colocados todos los aparejos propios de su profesión: pistola, porra, walkie. Se levantó porque había tenido una idea, se le había ocurrido algo al ver una gran mancha de aceite en medio del aparcamiento donde dos camioneros estaban empezando una pelea a puñetazo limpio.

–En Rostov tiene una novia que le manda vídeos guarros de vez en cuando, pero menos de los que querría.

–Aquí no tiene a nadie, entonces.

Oliver negó con la cabeza. Se ajustó la gorra de lana, verde. Miró su reflejo en el ventanal.

–Dice que melancolía es todo lo que no se hace.

–Qué bonito.

Oliver camina muy callado. Arruga el vaso de papel y lo tira al suelo. Luego se detiene y se agacha para atarse un cordón, aunque ni siquiera tiene cordones. Un clásico. Clava la vista en la espalda de Anton, que ha seguido caminando y ahora está a unos metros, con las manos hundidas en los bolsillos, mirando el suelo, hablando solo en ruso.

–¡Anton! –grita Oliver.

Anton se detiene de golpe al oírlo y se vuelve a mirar a Oliver. En ese momento y justo en ese sitio, de una ventana arrojan un balde entero de agua sucia que cae encima de Anton.

–Hostias.

Empapado de arriba abajo.

–¡Joder!

Anton suelta algo en ruso que no suena nada bien.

–¡Pero bueno! –dice Oliver.

Anton aún sigue con los ojos cerrados, chorreando agua oscura. Lanza un rugido de oso. Oliver se acerca.

–¿Estás bien?

Anton escupe agua, se limpia la cara con la mano.

–Vaya mierda, te han puesto perdido.

Anton se mira el cuerpo, la ropa, el suelo, todo. Dice algo en ruso que suena como si molieran arena.

–Ha sido del segundo piso, lo he visto –dice Oliver.

–¿Estás seguro?

–Sí. Mira –dice señalando para arriba–. De esa ventana.

Anton levanta la vista, en la ventana abierta hay un tiesto sin nada plantado. Da un grito. No se asoma nadie. Grita algo en ruso y se dirige al portal que está a medio abrir, la puerta atrancada con una cuña.

Sube las escaleras de tres en tres. Llega a la puerta de la casa, de madera, barnizada de negro, con un Cristo con la mano levantada, regulando el tráfico, sobre la mirilla. Llama a la puerta con la mano abierta, da un buen par de golpes.

Abren la puerta.

Michela lleva hoy la táser, es la primera vez que la usa, es día de estreno, tiene una sonrisa de oreja a oreja, con su hoyuelo y todo.

La táser funciona como un tiro.

El peso y la envergadura proporcional de ese otro imperio, el ruso, es de aproximadamente ciento treinta quilos de materia eslava repartidos en metro noventa y cinco por cuerpo, en este caso el de Anton Markovich, exfutbolista de tercera división, exguardaespaldas, exalcohólico anónimo. Oliver se ha enterado por ahí de que Anton es el nieto de Igor Markovich, el primer ruso de la avanzadilla que llegó a Benidorm en los setenta, y a quien se le ocurrió la brillante idea de alquilar hamacas en la playa, algo muy de balneario de Crimea y que resultó un negocio que ha llevado a tres generaciones de Markovich a frotarse las manos y a hablar un español impecable, con un poco de retórica rusa y otro poco de acento valenciano. Bajar el cuerpo de Anton por las escaleras y llevarlo al coche de Michela y del coche de Michela a la playa les ha llevado ya un buen par de horas. Lo han sacado del coche entre Michela y Oliver, y luego lo han llevado a rastras por debajo de los hombros como si fuera otro borracho de martes por la mañana más, entre el gentío de niños solos y franceses muy pálidos y señoras con hiyab, acompañados del chirrido de las punteras de las botas de Anton arañando el paseo marítimo de Playa Poniente, a cuarenta grados, hasta el extremo de la playa donde Michela tiene atracada su lancha motora.

–¿Crees que se despertará? –pregunta Oliver.

–Sí. En tres meses. Le he metido un par de roches.

Lo dejan caer en el fondo de la lancha y ahí se queda. Lleva puestas las gafas de sol de Michela y unas botas rancheras negras con remaches metálicos que no pegan nada con su camiseta Fred Perry color rosa.

–¿Me puedo quedar las botas? –dice Oliver mirándose las Nike arregladas con celo.

–Cuando acabemos todo esto –contesta Michela arrancando el motor. Se alejan unos metros, hacia unos italianos muy guapos que se bañan en grupo y una piara de siete niños agarrados a un mismo flotador que gritan a la vez cuando la lancha les pasa casi por encima.

Michela acelera y Oliver se agarra con fuerza al asiento. En veinte minutos llegan al barco que han anclado en alta mar, en medio de ninguna parte, un Pontiac abandonado en medio del desierto quemado de Nevada. Al intentar bajar a Anton de la lancha se resbala y cae al agua, se hunde unos segundos y vuelve a aparecer flotando boca arriba como un pequeño milagro ortodoxo, o como si estuviera lleno de gas de la risa. Lo suben al barco entre los dos. Aquí se produce una escena muy berlanguiana. Joder con el ruso. Lo miran un largo minuto, ahí tumbado boca arriba en la cubierta, con los ojos medio abiertos, drogado. Qué lengua tan gorda tiene. Después lo arrastran dentro de la cabina, donde sigue completamente dormido, probablemente hasta el día siguiente, cuando despertará y no recordará absolutamente nada y no tendrá ni idea de dónde está. Tiene cara de alcohólico romántico, de esos románticos que beben para dejar de serlo y se vuelven más románticos todavía. Oliver le saca las botas de vaquero, una y dos. Mucha bota para unos pies tan pequeños, tan delicados, y suaves. Se pone las botas. Le están fenomenal.

–Listo –dice.

Saltan a la lancha y se van.

En el barco dejan dos quilos de jamón cocido; hay cuatro barras de pan, hay una docena de naranjas y hay diez litros de agua. No hay motor ni hay timón ni hay manera de saber dónde se encuentra la costa.

Hoy ha sido un día práctico, ejemplar por sí mismo, funcional y explícito, con lo que Michela se guarda cualquier tipo de sentencia para mejor ocasión.

De vuelta en tierra firme cogen el coche y suben la larga y tortuosa y arbolada carretera que conduce hasta la Cruz de la Serra Gelada. Michela coge el móvil de Anton, que apagó cuando se lo quitó hace horas. Cuando vuelve a encenderlo encuentra quince llamadas y más de cuarenta mensajes. Están dentro del coche, lo han aparcado a la entrada de la explanada, el viento es tan fuerte ahí fuera que parece que va a echar abajo la cruz de piedra y toda la cristiandad entera, pero aun así hay varias piñas de quinceañeros haciendo botellón bajo la potente luz de los focos acusadores y una pareja de turistas admirando la flora de tomillo y camarina y gomas usadas. Son las diez de la noche. Michela pone la radio.

No le gusta el silencio. Es cosa de viejos.

Oliver está detrás, sentado todo a lo largo con los pies apoyados en la ventanilla abierta, admirando sus botas nuevas de cuatrero. Oliver además se está bebiendo un Monster como si nada, como si un secuestro fuera el plan habitual de los martes por la tarde.

–¿Cuánto vas a pedir? –le pregunta a Michela. Luego bosteza. Está en esa edad.

–Setenta mil.

–Setenta mil. Vaya mierda.

—Cuánto pedirías tú.

—Pero si Kaminski está podrido de dinero.

—No se trata de cuánto tiene Kaminski sino de cuánto vale Anton.

—Es su amigo.

—Hay muchos tipos de amigos.

—Es su amigo.

—¿Cuánto pagarías tú por tu mejor amigo?

Ahí Oliver se calla. No tiene mejores amigos. Tiene conocidos, ninis con los que trapichea, colegas, gente por la que no arriesgaría ni un céntimo ni un minuto de su vida, y lo que es peor, gente que tampoco daría un céntimo por él.

—Me voy a fumar un piti —dice abriendo la puerta con el pie, molesto.

Sale al viento de ahí fuera. Michela lo mira fijamente. Hay muchos tipos de ladrones, pero ella los divide en dos grupos: los ladrones a los que se les nota y los ladrones a los que no. Los quinquis, los canis, las chonis, los chavales que se hacen fotos con el buga recién robado para el Instagram y los moscos muertos de raya a un lado que parece que no han roto un plato en su vida. Michela solo se fía de los primeros, y por eso se fía de Oliver, que se ha liado el piti y está fumando de cara al mar, el mar, allí abajo del todo. Michela coge el móvil de Anton. Mira fotos, tiene muchas, de Anton comiendo en restaurantes japoneses, de Anton con cuatro amigos vestidos de corbata imitando el póster de *Reservoir Dogs,* de Anton tomando el sol de Florida. Descubre una de la madrileña de la fiesta, con Kaminski, abrazados los dos sobre la nieve nocturna, ella en bikini y botas Ugg. Así que tienen un rollo, la madrileña y Kaminski. Él parece feliz de estar con ella y ella parece feliz de salir en la foto. No puede perder el tiempo mirando más selfies. No puede arriesgarse a que localicen el móvil. Busca el último chat de Anton con Kaminski. Le manda a Kaminski una foto de Anton que le han hecho en el piso, amarrado al radiador con cinta de embalar, drogado y dormido. Escribe: MAÑANA EN CASA DE FREDDY 00:00. ANTON POR ENCENDEDOR DE KRAY. Luego escribe la dirección de la Casa de Freddy. Kaminski está en línea.

Michela envía el mensaje. Doble tic azul. Kaminski sigue en línea.

Oliver fuma despacio, el viento le mueve la camiseta, los vaqueros demasiado grandes en sus piernas de yonqui viejo; lo único que parece anclarlo a tierra son las botas robadas, pesadas, firmes, raíces seguras contra la tempestad. Kaminski sigue en línea. No contesta.

Oliver se vuelve hacia el coche y sonríe a Michela. Kaminski sale de línea. No ha contestado. No ha llamado. Qué quiere decir eso. Si se lo está pensando no es buena señal, si la está haciendo esperar para localizar el móvil no es buena señal, si Anton le da lo mismo es la peor de las señales. En cualquier caso hay que deshacerse del móvil cuanto antes. Michela lo apaga, sale del coche y se acerca a Oliver. Mira el móvil por última vez.

–¿Todo bien?

–Más o menos –contesta Michela.

Coge el móvil y lo arroja montaña abajo. En plena caída el móvil golpea contra una roca que enciende la linterna y después continúa su vuelo en picado, dibujando mil cabriolas en el aire, en zig-zag, tropezando con las rocas como un asteroide loco, la bala de Kennedy, hasta que alcanza un saliente y sale disparado trazando una interminable parábola perfecta que acaba en el mar.

–¿Y yo de todo esto qué saco? –pregunta Oliver.

Están sentados en la lancha motora de Michela, a unos doscientos metros del barco atracado mar adentro. Michela está mirando a Anton por los prismáticos, vigilando sus movimientos, asegurándose de que sigue ahí. Anton no puede verlos. Es casi de noche. Anton está aburrido y más que probablemente mareado.

–Mi protección.

–Protección de qué. Si yo no hago nada.

–Seguro que esto es más divertido que cualquier cosa que te haya pasado antes en toda tu vida.

–Sí, eso sí.

Oliver se calla un momento.

–Pero puedo divertirme todavía más.

Han sido esos cinco segundos de pausa los que han puesto en guardia a Michela. No hay ni un hilo de duda en la voz de Oliver, y si no hay miedo ni duda es que algo va por mal camino.

–Ya hablaremos –le dice.

–Cuándo.

–Cállate ya, bocaseca.

Oliver se calla de golpe. Se pone lívido. Bocaseca, el Bocaseca, así le llamaban en el cole porque no paraba de hablar.

Michela le pasa los prismáticos a Oliver.

–Mira –le dice–. Mira bien qué es lo que lleva en la mano. Yo no alcanzo a ver.

Oliver coge los prismáticos y los enfoca hacia el barco. Michela se queda mirando a Oliver. Detenidamente.

–No veo nada raro –dice. Se levanta.

Qué pequeño es. Menudo. Ligero. ¿Cuántos años tiene, Oliver? ¿Con quién vive?

–Creo que está dormido.

¿Qué es lo que hace con su vida? ¿A quién cuenta sus cosas? ¿Quién lo echaría de menos? Michela mira a su alrededor despacio. Están en alta mar. Nadie vería nada ni oiría nada, aquí. Qué silencio. Oliver baja los prismáticos, se encoge de hombros. Cuando va a sentarse mira el asiento y se detiene.

–Guarda eso –le dice a Michela.

–¿Por qué? ¿No te gusta?

–No.

–Puedes tocarla si quieres.

–No.

–Tócala.

Pasa una gaviota que los mira.

–He dicho que no.

–Bueno, da igual –dice Michela cogiendo la pistola del asiento. Se la guarda–. A mí no me hace falta enseñarla para saber que la tengo.

La Casa de Freddy fue una de aquellas primeras discotecas monolíticas de Benidorm, a medio camino de la empinada carretera de la Sierra Gelada, muy al borde del precipicio y de la que ya no quedan más que las ruinas adonde los chavales vienen a meterse miedo primero y mano después, la casa encantada del pueblo, plató de pelis porno gratis y refugio de yonquis y marroquíes recién llegados en patera. Michela ha venido sola, andando casi una hora, para no dejar el coche a la vista. Al llegar se ha asegurado de que no hay moros en la costa y se ha escondido detrás de unos matorrales de espino, a unos cien metros por encima de la antigua discoteca. Son las diez y media. Queda una hora y media para la medianoche, la hora a la que citó a Kaminski. Quiere saber de qué palo va, si ha entendido el mensaje, o no, o qué. No se ve movimiento en las ruinas de la disco, la carretera está desierta, no se oye otra cosa que la interminable banda sonora del viento huracanado en todas direcciones. Un viento que tiene voz propia, grave y vibrante. Un huracán que ruge entre las ramas de los árboles cada vez más potente, más iracundo, como buscando gresca, hasta que de pronto rompe a lo lejos el chasquido de un árbol que comienza a quebrarse y rasgarse por la fuerza del viento, el alarido de un árbol cuando cae es largo, eso sí que da respeto, y profundo, se quiebra y se rasga hasta que se quiebra del todo y se desploma entero sobre la maleza con la exhalación de un coro de voces. Kaminski no aparece. Han salido un par de rumanos que deben de vivir en la disco y ahora bajan la carretera con las manos hundidas en los bolsillos como para asegurarse de que no se los lleve el viento. Michela mira su móvil. Ya son las doce. Alguien enciende una fogata en la casa, en una esquina, contra una pared, aunque no se ve a nadie ahí dentro, como si el fuego se hubiera prendido por combustión espontánea. La casa tiene vida propia, fantasmas de discoteca. Kaminski sigue sin dar señales. De vez en cuando Michela saca unos prismáticos de visión nocturna, mira la casa vacía, la fogata, los puntos blancos y resplandecientes de los ojos de los bichos y las ratas y las lagartijas de la mala hierba. Kaminski no aparece. El viento es más suave ahora, más ligero, ya no se oye apenas. Son las doce y media. Está tan arriba en la montaña que ve los ojos luminosos de las gaviotas que planean en el aire frente a ella, suspendidas sin moverse apenas, mirándola. Piensa por un momento en Kyle, en dónde estará ahora, en cómo estará, en si hay poesía criminal, y en que tiene que preguntárselo cuando lo vea.

De pronto se enciende la brasa de un cigarrillo al fondo de la discoteca. Lo ve a través de un hueco en el techo levantado por cien huracanes mediterráneos. Las brasas iluminan la cara de un tío. De dos. De tres. Ahora oye sus voces. Están hablando en ruso. Casi inmediatamente ve a los tres salir de la disco, ninguno es Kaminski, tres tiarracos a los que Michela no llega ni a la cintura donde llevan las Berdysh de 9 mm. Se han cansado de esperarla, deben de estar ahí desde hace horas, sentados en la oscuridad, mudos. Se ha librado por muy poco de que la vieran. Ahora bajan la carretera los tres juntos, uno hace una llamada por el móvil, otro va en bañador, como si tuviera pensado bajarse a la playa después de descerrajarle un tiro a quien sea que vaya a encontrarse esta noche, es decir, a Michela.

Michela los ve alejarse.

A la una y media se fuma un cigarrillo, se levanta y se va.

Vuelve a la casa, la de la palmera, la que debería haber sido la casa familiar. Prefiere no ir a su piso unos días, por si acaso, por seguridad. No duerme en su habitación de adolescente, pero cuando llega entra y ve que todo sigue ahí, su ropa sigue ahí, desordenada en los cajones, revuelta como todas las cabezas adolescentes, centrifugadas, dispersas, sucias. Se pone una camiseta de Prince y unos calcetines tobilleros a rayas rojas y negras porque el suelo está frío, la casa está fría. En el cuarto de estar, a oscuras, se sienta en el largo sofá de cinco plazas: por qué tenía cinco plazas, eso Michela nunca lo supo. A esta casa no venía nunca nadie. Deja la pistola de reglamento sobre la mesa. No duerme. Pero tiene recuerdos que son como sueños mal hechos. En uno de esos recuerdos que le están jodiendo la noche, a eso de las cuatro y media, ve a Kyle en la puerta de la casa aproximadamente a esa misma hora, las cuatro y media de hace cuánto. Unos treinta años. Kyle está buscando las llaves para salir de casa porque aquí ya no queda nada que pimplar, se ha bebido hasta el Pedro Ximénez, que ya es pimplar, y ahora está en la puerta. A oscuras. Buscando las llaves para irse al Mars. Pero las llaves no están. Ya se ha ocupado Michela de esconderlas bien para que no salga. Las ha metido debajo de los cojines del sofá donde se hace la dormida, aunque mira a su padre por entre los párpados casi cerrados. Lo ve buscar en los bolsillos de la gabardina, en la mesita junto a la puerta, está borracho pero el cabreo de no tener las llaves le templa el pulso y la atención. Se vuelve a mirar a Michela. Que se queda inmóvil como un ciervo deslumbrado por los faros de un coche. Luego se dirige pesadamente a la ventana grande. La abre y cruje, la madera es vieja. Saca sin cuidado una pierna y luego la otra. Salta. Ya fuera se frota las manos contra el pantalón de hilo, Kyle nunca llevó vaqueros. Michela ve su silueta oscura de centauro del desierto enmarcada en la ventana. Kyle se mete las manos en los bolsillos, llenos de duros y pesetas de las de antes, el dinero ligero, y sale por la cancela. No la cierra tras de sí. Michela se incorpora en el sofá y se queda ahí sentada, igual que ahora mismo. Con los brazos cruzados y el cuerpo inclinado hacia delante como cuando te quieres marchar.

–Quién está ahí –dice de pronto muy alto. Pero no hay nadie y lo sabe.

A la mañana siguiente coge una bolsa de la basura y mete toda su ropa. Cierra la puerta con esas llaves que escondía cada noche, tira la bolsa en el contenedor, y ya no vuelve más.

–Kyle no está en casa –dice la mujer, una española con canas y gafas de diez dioptrías, desde la puerta entreabierta del apartamento de enfrente.

Michela lleva un rato llamando a la puerta del piso de Kyle. El Potro le ha dado la dirección de la casa de su padre, un piso en un edificio colmena con un enorme estanco de veinticuatro horas donde se amontonan los turistas para comprar cartones de tabaco libres de impuestos, día y noche. El Potro y Kyle se encontraron hace un par de días y acabaron aquí durmiendo la mona después de pasar la noche en el Roxy de la calle Génova. Le dije que te llamara, le dijo el Potro a Michela después de darle la dirección. Pero no lo ha hecho.

–¿Sabe cuándo va a volver?

La mujer dice que no con la cabeza. Va descalza y lleva las uñas pintadas de negro. Dentro del piso de Kyle suenan ladridos y arañazos contra la puerta.

–¿Tiene perros?

–Dos –la mujer levanta dos dedos–, Gizmo y Fernando.

–¿Se encuentra bien, Kyle?

–Se encuentra como siempre. –Como Michela va de uniforme la mujer tiene cara de no saber muy bien qué pasa aquí–. ¿Usted quién es?

Michela vuelve a golpear la puerta con los nudillos.

–Ya le he dicho que no está –repite la mujer.

–Soy su hija.

La mujer frunce el ceño.

–Kyle no tiene hijos.

Y luego cierra.

–No te sientes –dice Rob. Los Grant hoy son diez o doce, están en un sótano, retirando los plásticos de cinco mesas de billar nuevas que les acaban de llegar. Rob tiene una bola blanca en una mano y una roja en la otra–. Quién te ha dicho que te sientes.

Michela está de pie, no ha hecho el menor gesto de ir a sentarse, pero no dice nada. A su espalda se amontonan los plásticos sobre las mesas de billar, parecen glaciares. Es una imagen un poco rara.

–Te has metido a jugar en una liga que no es la tuya, Mike.

–Tengo que salir de esta como sea.

–Los Kaminski. No me jodas –dice Rob. Y luego golpea una bola contra la otra, haciendo un ruido muy evidente.

Michela no sabe qué terreno está pisando ahora con Kaminski, ha venido muy segura de que recibiría la protección de siempre de los Grant, pero una cosa es estar protegida en la Policía Nacional de Benidorm de España, donde nadie le ha tocado ni un pelo en quince años, y otra meterse con los Kaminski y la compañía de cientos de millones de rusos. Que no sabe cuántos son pero imagina que muchos. Ha venido de todas formas con un as en la manga que tira ahí, boca arriba, sobre el tapiz verde de la mesa de billar.

La última jugada de los Grant y Michela se la han metido

a un madrileño con casa en Altea que había puesto en marcha una recogida de firmas para imponer una ecotasa a los turistas que quisieran acceder a las playas de todo el litoral. A los ingleses, de Leeds o de Liverpool o de donde fuera, no les hacía ninguna gracia, pero lo cierto es que el madrileño ecologista llevaba ya muchas más firmas de las que esperaban que iba a conseguir. Los Grant no querían romperle las piernas al madrileño, hacer de él un mártir de la causa y que luego vinieran ochocientos madrileños más detrás, así que le dejaron el tema a Michela. Michela se limitó a meterle cien plantas de marihuana al madrileño en el patio de su casa de Altea y trincarlo al día siguiente. Salió en todos los periódicos. Así que el madrileño va a desaparecer una buena temporada, si es que vuelve. Rob quiso regalarle una Honda a modo de agradecimiento. Pero Michela la rechazó. Prefería guardarse el favor para cuando decidiera ella, en otro momento. Ese momento es hoy.

–Estabas avisada.

–No contéis conmigo para nada más.

En cuanto lo dice se muerde la lengua. Rob, que ha seguido golpeando las bolas todo el rato, se detiene en seco. Los nueve Grant del fondo están muy borrachos, uno de ellos se acuesta sobre una mesa de billar para dormir la mona y al cabo de unos segundos se rompen las cuatro patas. Todos se echan a reír, risas de diente de oro. Menos Rob.

–Mira –le dice a Michela–. Me has cogido en un día de buenas, que si no... ¿Ves ese palo?

Señala un taco de billar.

–Te lo iba a meter por donde yo sé.

–Hablaba por hablar.

Rob deja las bolas sobre la mesa, despacio, se cruza de brazos, tampoco es para tanto, eso lo ven los dos.

–Venga –dice Rob en español–. Aire.

Las seis y veinte de la mañana. Un helicóptero de la Guardia Civil recorre el cielo pálido buscando qué. Gaviotas. Libélulas. El resplandor ácido de los últimos neones encendidos de los hoteles antes de que de un momento a otro salga el sol de España. Michela y Oliver están esperando en la salida a la autopista, dentro del coche, mirando las cuarenta palmeras apretadas, emboscadas en la rotonda de la carretera a Barcelona, desierta a esa hora. Oliver mira hacia el este, hacia la playa, los letreros de los hoteles se acaban de apagar al mismo tiempo. Lee los neones del revés, como si todo lo que importa ocurriera allá, en el mismo lado, la suerte siempre cayera en el mismo sitio, y así ocurre, y de este lado todo diera la espalda, de este lado donde nunca pasa nada. Oliver está tumbado en el asiento de atrás, mirando un recopilatorio de vídeos en el móvil, youtubes de cómo ha ido cambiando con los años la forma de coger la pistola en las pelis: desde la cadera, con el brazo completamente estirado, con la palma hacia el suelo. Se lo esta tomando todo tan al pie de la letra, el secuestro, la vigilancia, pedir un rescate, es todo tan concreto que le pone en una dimensión que no conocía. Se va a poner un alias. Sí señor.

–Por qué no jugamos a algo –dice Oliver aburrido después de media hora de vídeos–. Queda rato todavía.

—Ya estamos jugando.

Un hombre en bermudas abre la persiana de un bar, un bar sin nombre, un bar Pepe, aplastado bajo el peso de los veinticinco pisos de cemento pintado de azul eléctrico. El hombre mira a Michela. Enciende un cigarrillo. Las seis y media.

LA POLI DE LOS BOSQUES

Me gustan los bosques.
Me gusta la ciencia.
Detritus milenarios sobre cráneos millonarios,
    no tener que caminar en línea recta.
La ropa de los árboles.
El brazo que encontré a mi derecha.
Las obras frías. La ciénaga.
Llevar la ropa húmeda, el olor a meados.
Las carreras de voces sobre mi cabeza.

Eso lo ha escrito Michela del tirón con un Bic rojo en el cuadernillo de multas de tráfico. Lo lee y luego lo rompe.

—Cada vez hablas menos, estás más callada que nunca —le dice Oliver—. Qué te pasa.

—Cada vez hablo menos porque cada vez sé más.

—Joder, tía. Pareces Clint Eastwood.

—Clint Eastwood es una malva.

Pero no es verdad. Ahora solo tiene la certeza de que tiene que salvar el culo, ese culo trabajado en el gimnasio, ese culo latino con sus tres hoyuelos en cada nalga, y la única manera de hacerlo es renunciando al mechero. Soltar a Anton en un sitio público y olvidarse del mechero. Es la única salida que le queda ya.

En ese momento, sin la menor prisa, llega al semáforo la camioneta de reparto del Mercadona.

–Oliver –dice Michela–. Ahí está. Corre.

Oliver abre, se baja del coche, se lanza al medio de la rotonda y se queda ahí de pie haciendo señas al conductor de la camioneta para que se detenga.

–¡Qué pasa! –El conductor es un peruano muy joven. Va medio dormido.

–Me he quedado sin batería –le grita Oliver.

El peruano dice algo por lo bajo y desvía la camioneta a un lado de la carretera. Luego se baja. Se acercan los dos al coche. Michela sale y el peruano se para en seco al verla porque ya la conoce, lo ha detenido varias veces. Sabe cómo se las gasta.

–Tranquilo –dice ella. Sonríe. La sonrisa de Michela provoca cualquier cosa menos tranquilidad.

–Solo es un recado –dice Oliver.

–Qué piña –murmura el peruano. Cruza los brazos sobre el pecho, los ojos desorbitados.

Michela de pronto ve el resplandor de las luces azules de un coche patrulla que se acerca por la carretera. Tienen que darse prisa. Saca un sobre y se lo mete al peruano en el bolsillo de la camisa.

–Pon esto dentro del pedido de Kaminski.

–¿El de la casa grande?

El coche patrulla aparece por la curva.

–El de la casa grande. Vamos. Rápido.

–¿Y ya está?

–Que no digas nada –dice Oliver–. O te parto las piernas. –Qué ganas tenía de decirlo.

–Está bien.

–Venga –dice Michela–. Tira.

El peruano coge el sobre. Dentro del sobre hay una nota:

ANTON LOBBY HOTEL BALI JUEVES 12:00

El peruano se sube a la camioneta. Arranca. Se va. Michela saluda con la mano a sus dos compañeros: conducen despacio, qué caras tan frescas de novatos felices. Sonríen. Le preguntan si le ha pasado algo. Una avería resuelta, dice ella. Los novatos detienen el coche y bajan. Se quedan charlando los cuatro un rato del partido de ayer, el Madrid-Barça, de pie en el arcén de la carretera. Huele al primer café, las noticias en la radio. Hoy va a hacer un día estupendo.

215, 216, 217. Once de la noche, tres habitaciones, un hotel barato en quinta línea de playa, luces de plafón, moqueta dorada, etc. En la habitación de en medio, en la 216, están Michela y Vilches. En la 215 están los tres catalanes listos. Y en la 217, de momento, o eso parece, no hay nadie. Todavía. Michela y Vilches llevan seis horas metidos en la 216, esta mañana han camuflado un micro y una cámara en el detector de incendios de la 215 y ahora están a oscuras, sin hacer el menor ruido, sentados cada uno encima de una cama cubierta de bolsas de patatas fritas vacías. Los tres catalanes de la 215, sin embargo, hablan sin parar, en catalán, para que se entere todo el mundo. Se han metido ya cinco rayas cada uno, eso Michela y Vilches lo ven en la 216, en la pantalla del monitor colocado a los pies de las camas, deslumbrante como una fogata de campaña, el fuego que habla. Uno de los catalanes no lo es, es andaluz de Sevilla, y habla con un acento que a Vilches le hace mucha gracia aunque no se ría, pero Michela lo conoce. Los catalanes de verdad y el postizo se están repartiendo entre sí cinco solares de terreno urbanizable equivalentes a seis campos de fútbol, han colocado un plano de Benidorm en el suelo y están ahí de rodillas, midiendo el territorio y las lindes y las fronteras y haciendo sus cálculos de mariscales

107

de campo. Por ahí además van a poner un río. Y ahí una pista de esquí con más polvo blanco todavía.

–Y otro aeropuerto –dice el andaluz.

Michela y Vilches ya tienen evidencias como para entrar en la 215 y llevárselos a los tres pero quieren ver hasta dónde va a llegar la cosa, cuándo entra el maletín con dinero en escena, la pasta, la panoja, la materia que es el principio en letra capital y el punto final a todas las cosas.

–Y un casino en un barco –dice uno

–Aquí de barcos no hemos dicho nada.

–Un casino flotante. No sé si me sigues.

–Yo sí.

–Yo no.

–Aquí estamos mirando solares y terrenos desde hace lustros como si la tierra firme fuera lo único urbanizable.

El sevillano se lleva las manos a la cabeza porque lo entiende todo de golpe.

–Ay mi madre.

–Y nadie se ha planteado nunca urbanizar el mar.

De pronto, en la 217, la que parecía vacía, arranca a sonar la tele a todo volumen.

–Joder –dice uno de los catalanes.

Lo que suena es un programa local de niños cantores de Benidorm, el concurso de coros de los jueves.

–Esa tele –grita el sevillano.

Michela va a dar un golpe en la pared para que bajen el volumen pero piensa que es mejor que parezca que la 216 está vacía.

–Vamos a pasarnos la ley de costas por el forro de los cojones –dice el catalán del ayuntamiento. Ese catalán en realidad tampoco lo es, Michela lo ha visto hace un rato bajarse del taxi para pagar al taxista desde la calle, así que es otro inglés más, otro catalán de pega.

108

–Este es un momento fundacional –suelta el catalán de verdad.

–¿Qué ha dicho? –le pregunta el sevillano al inglés.

–Que vamos a hacer historia con hache.

En la tele de la 217 de pronto rompe a cantar una voz de mujer. Un timbre profundo y esponjoso y engrasado como de cantante negra.

–¿Qué te pasa? –susurra Vilches.

–Nada –contesta Michela.

Es una canción desconocida pero que suena a pop de los setenta con un toque de jazz.

–Tienes mala cara de pronto –dice Vilches.

La canción es sobre una chica que va en moto con su chico por una carretera sin fin.

–Estoy perfectamente –dice Michela.

Pero es verdad que se ha puesto blanca, se ve hasta en la penumbra de la habitación. Y es que la voz que suena en la tele no es otra que la voz de su madre. La voz de Laurana, la voz templadamente velada de Laurana. Esa voz que la llamaba cada día con un nombre diferente: Bárbara, Carmela, Asunción, de puro aburrimiento, esa voz que reservaba para cantar en el club y poco más, la voz que no dijo ni adiós antes de marcharse para siempre.

–A ver si bajan la puta tele de los cojones –dice uno de los catalanes.

–Me van a oír –dice el sevillano. Se levanta y abre la puerta. Michela lo oye salir al pasillo y pasar por delante de la 216 e inmediatamente dar un par de golpes en la puerta de la 215–. ¡Baje el sonido! –grita.

En la 215 no contesta nadie. Solo responde la voz en la tele, esa voz de Eurovisión 1975.

El sevillano vuelve a golpear.

Sin respuesta.

El sevillano regresa jurando por lo bajo a la 217, donde los otros dos se han venido tan arriba que han llamado a tres call girls para que se unan a la fiesta. Sacan otra botella de Larios. Deben de estar a punto de cerrar el tema.

–Y ahora los brotes verdes –dice el inglés.

–Sonríe al pajarito –murmura Vilches al ver en el monitor que el inglés saca un maletín de debajo de la cama, lo empuja con el pie hasta el catalán y el catalán lo abre. Vilches se levanta como un resorte y hace un gesto a Michela. Sacan las esposas, se dirigen a la puerta, y justo en el instante antes de salir, por el rabillo del ojo, de refilón, Michela ve en la ventana del edificio de enfrente el reflejo de la habitación 215, la luz del baño, el suelo brillante, la cama sin abrir, a su padre, a Kyle, es él, sentado en la cama, con la vista clavada en el suelo de moqueta dorada, fumando, descalzo, con unos pantalones de traje y nada más, y las gafas de pasta, escuchando la voz de Laurana que resuena en todo el hotel mientras Michela y Vilches echan la puerta abajo y entran en la 217 y todo lo que ocurre a partir de ese momento sucede muy deprisa, como algo ensayado mil veces, los catalanes parecen tan sorprendidos que se dejan colocar las esposas sin más.

–Hostia –dice uno–. Vaya peli.

El sevillano se echa a reír, esa carcajada acojonada de *Viernes 13,* y luego a llorar, un sollozo que los acompaña cuando salen al pasillo, donde el del ayuntamiento tropieza, cae de rodillas, y Michela lo levanta por el cuello de la camisa y lo va empujando escaleras abajo hasta el vestíbulo del hotel barato, de mármol azul marino, palmera enana, donde el coche patrulla los está esperando con las puertas abiertas porque no merecen menos.

Media hora más tarde, cuando Michela regresa al hotel desde la comisaría del centro, la 215 está a oscuras. Vacía. Kyle, su padre, ya no está.

El mini se ve desde más de doscientos metros, hay luz en el interior, parece un pequeño escenario encendido al otro lado del enorme descampado que hay detrás del aparcamiento de la estación de autobuses, una capilla en una catedral a oscuras. Al fondo hay pinos. Martin está dentro del mini, se lo presta uno que viene a veces, está tocando la guitarra eléctrica, solo. Esto está tan lejos de cualquier zona habitada que nadie puede oírlo, y así puede tocar a cualquier hora del día o de la noche, eso le dijo a Michela. En este momento, las dos de la madrugada, Michela ha llegado en moto y ha aparcado en una urbanización cercana, para que Martin no la descubra. Mientras camina hacia el mini va dejando atrás los gritos de una pareja que discute porque han olvidado dónde dejaron el coche y parece que llevan un buen rato buscándolo, con más ganas de gritarse que de encontrarlo, con la intención de seguir buscándolo el resto de la noche y de la vida.

Martin está sentado en el asiento de atrás del mini, en bañador, con las puertas abiertas, cuatro o cinco polillas, moscas, bichos blandos atraídos por la luz. Como el coche hace de caja de resonancia la música suena atronadora a medida que Michela se aproxima, además la guitarra que le regaló suena mejor de lo que esperaba, esa especie de repuesto de motor que le compró por cuatro cuartos por eBay. Michela atraviesa el descampado, despacio, hasta que se detiene y se queda mirando a Martin, lo mira de lejos, solo quiere saber qué pasa, por qué llevan días sin verse, por qué no le contesta el teléfono. Martin está tocando *The Wire*, lo que silba o canta o toca siempre después de follar, pero ahora parece que ya no con ella. Quiere saber con quién está. Martin deja de tocar, como si presintiera que hay alguien ahí. Michela se queda inmóvil. Ahora que todo queda en silencio suena la chicharrera de la noche, chicharras debajo de la hierba caliente, chicharras encima de los árboles, en el aire, en estéreo.

Martin está tocando con los Foneda Cox en uno de los aparcamientos del Hotel Fenicia, esa mole cerrada a cal y canto en medio de la ciudad, el hotel que nunca se llegó a inaugurar y lleva ahí sentado treinta años, enorme y grave y como a medio hundir, la punta flotante de la deep web real de Benidorm. Los de Foneda Cox eran cinco al principio, luego tres y luego cinco otra vez, el único que ha estado siempre ahí ha sido él, Martin, ensayando en el extremo del garaje con olor a chino y a pis seco, sobre una alfombra de cachemir. Hay como unas cuarenta personas de público, con cara de viernes perpetuo, viernes de Benidorm. Michela se ha enterado por casualidad del concierto, lo ha visto en uno de los cientos de flyers pegados con celo en las farolas del paseo marítimo. Él no la ha avisado de nada. Lleva días sin dar señales de vida, sin contestar sus llamadas. Además del concierto hay una exposición de un fotógrafo valenciano que ha imprimido fotografías de los rascacielos de Benidorm en ladrillos verticales y las ha colocado en fila reproduciendo la línea de Playa Poniente. El fotógrafo anda por ahí tirando fotos con flash. Michela se aparta de su paso, no quiere salir en ninguna foto, en realidad tampoco quiere que Martin la vea, quiere saber por qué no la ha avisado del concierto y qué está pasando aquí, entre ellos, que empieza a estar muy quemada, así que está vigilando el pano-

113

rama desde una esquina en penumbra del aparcamiento. A unos treinta metros de todo.

Mira alrededor. Descubre, sin sorpresa, a la madrileña del otro día, la de la fiesta, la novia de Kaminski. Se ha informado de que es una Torlonia de séptima generación, de los Torlonia que acabaron en España, un spin-off de la estirpe que ha salido modelo de Zara o artista conceptual. Hoy la madrileña lleva un mono azul de obrero de la construcción con unos botines de piel de serpiente. Esta mañana mientras patrullaba la vio salir del Gum. El núcleo duro de lo moderno en Benidorm es tan moderno que aquí no lo conoce casi nadie, pero viene gente de media Europa igual que venían en los noventa derechos a la Ruta del Bacalao, el Levante español siempre a la vanguardia de Occidente, una vanguardia entre excesiva y extraterrestre y con ocurrencias tan desorbitadas como cubrir el suelo de la Plaza Mayor de Valencia capital con lonchas de jamón serrano, es bonito eso, o prenderle fuego a todo: ninots, arrozales, niñas muertas. Nino Bravo de tuxedo color púrpura cantando por micrófono al fondo de la Albufera en llamas. El núcleo duro de lo moderno en Benidorm es el Gum, un espacio polivalente que con eso por delante ya lo dice todo. Hay tres tatuadores detrás del escaparate, una sala de exposición y una pop up store de ropa diseñada por los dueños del local, Romino y Angus, dos gays de aquí, de Benidorm, que se conocieron en primaria cuando se gastaban la paga de los domingos en un taxi que compartían para ir al colegio cada día, porque ellos, en autobús escolar, ni locas. La prenda que más se vende es una camiseta blanca con una gran mancha de café en medio. La camiseta cuesta ochenta euros. Lo demás no baja de cien. La madrileña, cuando Michela la vio salir esta mañana, iba sin bolso ni nada, como si saliera a por tabaco y viviera ahí mismo, en la trastienda.

Ahora la madrileña está sentada encima de un monitor de televisión de los de antes, de los de tubo, colocado en el suelo en círculo junto a otros seis más en una videoinstalación muy de los setenta. Las pantallas están emitiendo vídeos en blanco y negro de baja calidad; vídeos de seguridad en los que aparece gente robando, mangando en supermercados y tiendas de lencería, o en el Tiger. Lo hacen con toda la tranquilidad del mundo, como roban los ladrones de verdad, como si supieran que son invisibles, que lo son. La madrileña está explicando a una pareja cómo ha robado los vídeos, y el concepto de apropiación de la apropiación y el concepto de plagio en la cultura, que a Michela le parece una tontería de niñata de Madrid. Michela sigue ahí, al fondo de la planta, camuflada entre lo moderno de Benidorm. Cuando la pareja de la videoinstalación se va, la madrileña vuelve a sentarse encima de la tele, aburrida, saca el móvil, bosteza como bostezan los artistas de verdad. Empieza a silbar el tema de *The Wire*.

Va al Gum. En el Gum están Romino y Angus en plena sesión de fotos de la nueva temporada. Suena algo de Blondie. Blondie hubiera sido muy Gum. Cuando Romino y Angus la ven entrar le piden que pose, va de uniforme, siempre le piden que pose cuando va de uniforme y siempre les dice lo mismo, que no. Al fondo del local hay una habitación para los artistas residentes, así los llama Romino. La habitación hace también de almacén de fotografías, de almacén de ropa y de pastillas de M y de K. A Michela le da igual. Solo ha venido a comprobar lo que se huele. En la trastienda hay una ducha detrás de una cortina a rombos y al lado un sofá de tres asientos, de terciopelo morado, con una almohada y una sábana tiradas por encima. Cajas, sobres, frascos. Michela se sienta. Mira alrededor. Debbie Harry sigue cantando en estéreo sobre corazones de cristal. Ve una lata de Amsterdamer sobre la mesa, una Fuji X70, el número de septiembre de *Vogue Italia,* un anillo que reconoce como de la madrileña, se lo ha visto en las fotos. En el respaldo de una silla ve la camiseta amarilla de Mr. E de Martin. La coge. Está sudada, blanda como un billete usado. Suena el zumbido de la máquina del tatuador, ahí fuera, y Blondie, y nada más.

Cuando se levanta para marcharse, después de diez

largos minutos calculando muy detenidamente lo que va a hacer y sus consecuencias, descubre sobre una silla de plástico roja un vaso con un cepillo de dientes y un tubo de dentífrico y junto al vaso el mechero dorado de Reggie Kray.

Cuando Michela abre la puerta con una tarjeta de crédito, Gizmo y Fernando están en medio del recibidor de la casa de Kyle, sentados, esperando. La casa está a oscuras y Michela se pregunta qué harán los perros en las casas vacías cuando no hay nadie y se hace de noche. Están muy quietos y no ladran ni se mueven de su sitio. En el piso de arriba están dando una fiesta y es muy extraño porque no se oye absolutamente nada de música pero el techo retumba con el peso de la gente bailando, y las piezas de la lámpara, una araña de cristal de roca de plástico, vibran violentamente sobre la mesa de entrada, donde hay cinco ejemplares de *The Guardian,* sin abrir, y una botella de Macallan, vacía. Mira alrededor, no quiere encender la luz, la luz y el silencio no hacen buena pareja, pero el silencio y la oscuridad sí, y además, el calor. Va al cuarto de baño, verde quirófano. Ve las salpicaduras de pasta de dientes en el espejo, como si Kyle se acercara mucho cuando se los lava, buscando algo ahí en el espejo, en esa larga cara suya, buscando qué. Buscando a quién.

No sabe dónde dejar el mechero. El mechero lo ha estado mirando un rato en las escaleras antes de entrar, ahí en la palma de la mano. Piensa si la madrileña se habrá dado cuenta del valor de ese objeto que Michela considera como mítico, icónico, si Kaminski se lo habrá regalado a la chica en un arrebato, pero Michela no cree que los rusos tengan arrebatos así a no ser que estén borrachos. Probablemente la chica lo habrá cogido un día por casualidad, sin más, y luego se habrá olvidado de devolverlo. El mechero es un Dunhill alargado, acanalado y chapado en oro como las joyas de la corona barata de Miss Benidorm. Es pesado y es elegante y por un momento Michela piensa que debería estar expuesto en la urna de un museo.

Sale a la terraza. El sofá de enea ocupa casi todo el espacio, es redondo como el de Emmanuelle. Se sienta un momento. El asiento cruje como huesos viejos. Desde aquí no se alcanza a ver el mar, no hay más vista que la de la fachada trasera de los edificios, las escaleras de incendios, los neones parpadeantes de las cocinas, los cien mil aparatos de aire acondicionado. Sobre la mesa hay una cajetilla de Camel y un mechero Bic amarillo y una pila de platos sin lavar. Un pastillero con pastillas grandes como las de vitaminas, y pastillas muy pequeñas, esas que dan miedo de verdad. Alguien de un piso más arriba empieza a regar las plantas de la terraza y el agua cae con fuerza hasta estrellarse con estruendo doce pisos más abajo.

Michela coge el Bic. Deja el mechero de Reggie ahí, sobre la mesa, junto a los platos sucios.

Cuando se marcha los perros no se mueven, no se han movido de su sitio en realidad en todo ese rato, siguen con la vista fija en la puerta. No la estaban esperando a ella ni remotamente.

Michela aquí no es nadie. Están esperando a Kyle.

Una entrada triunfal no es nada. Lo que cuenta es la salida, la conclusión, poner el punto final, que cuando te marches se acabe la fiesta, enciendan las luces, saquen la basura. Que se vayan todos por donde han venido, por el ascensor del rascacielos en obras. El ascensor sube suspendido en el vacío, ascendiendo muy despacio por el exterior de la fachada aunque no hay fachada aún, ni paredes, solo mil metros cuadrados de aire por piso de cemento armado. Al llegar al vigésimo de cuarenta y dos atraviesan una fuerte corriente de aire, como si cada diez pisos entraran en un estado de realidad diferente. A Vilches no le gustan las alturas, va con la barbilla pegada al pecho, agarrado a la barandilla con la mirada clavada en el horizonte que no se ve porque son las tres de la madrugada.

Michela enciende el móvil otra vez. Tiene siete mensajes de Oliver. Esta mañana se lo ha encontrado en la calle de los pintxos vascos, en realidad la estaba esperando porque sabe que Michela se toma todos los días un par de vermús en el mismo bar a la misma hora, la una y media. Estaba sentado a la barra mirando a la puerta cuando ella ha llegado, le ha sonreído desde debajo de la capucha de la sudadera fucsia bajada hasta las cejas, mordiéndose los padrastros del pulgar. Tenía esa expresión.

Michela se acerca y se detiene a veinte centímetros de su cara.

–Qué.

Oliver duda un momento, se ve que se ha preparado un argumento más complejo de lo habitual que funcionaba muy bien en su cabeza pero ahora no sabe por dónde empezar.

–A ver.

Está más nervioso que cabreado. Michela se limita a levantar un dedo al camarero para que le sirva lo de siempre sin apartar la vista de la cara de Oliver. Luego se aparta y se sienta sin más. Aburrida.

–No me has contestado el teléfono en todo el día –dice Oliver.

–Trabajo.

–Yo también trabajo.

–Pero yo soy policía nacional.

Hay mucho ruido en el bar, carcajadas y chistes malos, los bilbaínos como los sevillanos del norte. Michela presta atención a las conversaciones, al lado del baño están hablando de dinero, lo sabe porque bajan la voz, en España cuando hablas de pasta o bajas la voz o se enteran hasta en la calle. A Michela la pasta, el dinero, le interesa bien poco. A Michela lo que le interesa es la información sobre dónde está ese dinero, sabe ya que las fortunas de verdad son de gente que no ha visto una moneda de euro ni de lejos, que en esa pirámide de reparto de la pasta mal hecho cuanto más arriba menos la tocas con las manos.

–¿Cuánto me va a corresponder por la operación? –suelta Oliver.

Michela se echa a reír.

–¿Ahora eres cirujano plástico?

–Ahora estoy sentado aquí y me vas a escuchar.

122

Le ha cambiado la voz de pronto. Eso ha sonado como alguien que se ha asegurado de saber dónde está la puerta de salida antes de entrar. Michela se pone en guardia.

—Este no es lugar —dice.

—Me da igual.

—¿Quieres un barco?

Tienen muchos barcos confiscados, pisos, motos de gran cilindrada, joyería fina.

—Un barco. Y para qué cojones quiero un barco yo.

—Ya queda poco.

—Me estás mareando todo el tiempo, tú

—Mira. Esta noche nos vemos en otro sitio.

—Ahora.

—Y lo cerramos. Tienes mi palabra.

—Dónde. Cuándo. Usas demasiadas palabras como para tenerla.

—Tengo turno. Yo te aviso.

Michela se baja del taburete. Se bebe el vermú de un solo trago y se dirige a la puerta.

—Michela —dice Oliver a su espalda.

Pero Michela no se vuelve. No le contesta, tampoco, ni los mensajes ni las llamadas de toda la tarde. La última es de cinco horas atrás.

Cuando llegan al piso cuarenta y dos, el último, el ascensor se detiene con una sacudida. Michela y Vilches saltan al suelo. El suelo es de cemento y retumba con los graves de Foneda Cox, que están tocando en medio de la planta de mil metros cuadrados, rodeados de aire y de noche mediterránea por los cuatro costados. Han colocado unos cuantos focos led por ahí, entre los veinte o treinta amigos y colegas que se han juntado de público. Algunos bailan, otros están borrachos y otros tirados por el suelo, muy colocados. Los Foneda están tocando «Dame hambre». Suena todo muy mal.

Cuando Vilches sopla el silbato la música sigue sonando como si nada.

–No se enteran –dice Michela.

Vilches vuelve a pitar varias veces más mientras se abren paso entre la gente y se dirigen hacia el grupo. Hay tres chicas por ahí que se ponen a bailar con Vilches, les hace mucha gracia. Es grande como un oso. Michela las aparta de un manotazo y siguen avanzando hasta que los Foneda dejan de tocar de inmediato cuando oyen finalmente el silbato y ven a los dos policías acercarse con el brazo en alto. Michela, además, ha sacado la porra. Martin arruga el ceño. Parece medio dormido.

–Licencia –dice Vilches al batería, es el más alto y parece siempre el que manda–. A ver, ¿tenéis licencia para tocar aquí? ¿Estáis cobrando entrada? ¿Y la salida de emergencia dónde está? Tú y tú, no os mováis de donde estáis.

El batería mira a Vilches, luego a Michela, luego a Vilches. Se echa a reír.

–Y tú de qué te ríes –dice Vilches.

–De miedo. De qué va a ser.

–Qué bajona –suelta una chica por detrás.

Martin empieza a reaccionar y mira a Michela con cara de no entender qué está pasando.

–Licencia –es todo lo que le dice Michela, que lleva en la mano su camiseta amarilla de Mr. E, la que se ha dejado en el Gum después de estar con la madrileña. Martin lo ve y cierra los ojos. «Mierda», susurra–. Identificación.

–¿Podemos hablar? –dice a Michela.

–En comisaría –contesta Michela–. Ahora identifíquese.

Martin saca su DNI. Se lo alcanza a Michela, que no lo toca.

–Al compañero.

Martin le da el carnet a Vilches, y salvo el batería, que

está completamente colocado, los otros miembros de los Foneda se limitan a dar el carnet, soltar un par de tacos y bostezar. Están acostumbrados. Qué más da.

–Acompañadme –dice Vilches.

–¿Ahora? –dice el batería, que no puede ni levantarse.

–Marchando todos.

–¿Y eso qué?

–Aquí se queda –dice Michela.

Dejan el equipo de música ahí en el suelo y Vilches los va empujando hacia las escaleras. Martin se vuelve a mirar a Michela, cruzada de brazos. No se mueve de su sitio. Ya se va a asegurar ella de que no pueda volver a tocar y de que acabe unos mesecitos en la trena. Le ha metido una bolsa con pastillas en el bolsillo de atrás de los vaqueros sin que se diera cuenta, así que no tiene ni idea de la que le espera cuando lo registren en comisaría.

–Venga, todos a vuestra puta casa –grita Vilches.

El público se dispersa, tampoco se quejan tanto, tampoco tocaban tan bien, tampoco pasa nada, así es la juventud. Algunos bajan en grupo por el ascensor, otros por la escalera de incendios. Al cabo de un par de minutos ya no queda casi nadie. Hay una chavala de unos catorce que se queda de vomitona y que se acaban llevando entre tres amigas por las escaleras en construcción. Michela las oye reírse hasta que se detienen varias plantas más abajo, donde se quedarán a dormir la mona hasta mañana al mediodía.

Desierto. Michela apaga los focos led. Camina por el espacio en penumbra, sola, como las reinas medievales en los castillos vacíos. Coge el móvil y escribe a Oliver.

Planta 42 del Paradiso.

Lo envía.

Espera unos segundos.

Visto.

Recibe respuesta enseguida.

Llego en diez minutos.

Piensa darle diez billetes de los gordos, los lleva encima, es más de lo que pensó al principio pero sabe que sin Oliver no habría salido bien el asunto. Y además le cae bien.

Michela se acerca al borde del edificio. Hace unas horas, antes de anochecer, había grandes nubes de tormenta, esas nubes densas como agua de pantanos por los que internarse buscando fantasmas, nubes amarillas y pesadas, pero la tormenta no ha acabado de llegar, la nube se ha guardado la descarga en alguna parte ahí dentro, sudando la fiebre, dejando un cielo líquido con un resplandor húmedo que lo moja todo. Un cielo fragante. Un cielo de algas.

Michela se acerca al borde del edificio aún más. Mira el mar, los reflejos de las luces de los rascacielos sobre el agua, franjas rojas, amarillas, verticales como estandartes, un ejército a la espera del mugido del cuerno de caza.

No se oye nada. El viento. Algo que murmura para ella misma y que solo ella escucha.

Se dirige hacia las escaleras. Se detiene cuando oye el ruido del ascensor subiendo por la fachada. El ascensor se para en seco. Michela los ve a los tres. Caminan despacio hacia ella, al mismo paso, Oliver entre Anton y Kaminski, como una empalizada, tres siluetas compactas, tres sombras precisas, sólidas, silenciosas.

Kaminski lleva una pistola. Anton lleva una pistola.

Oliver lleva una pistola, también.

La sombra de Michela caía justo en medio del escaparate de la agencia de viajes, entre los reflejos de los cientos de rascacielos a su espalda y de los semáforos y de las palmeras kilométricas, elásticas, calcinadas por el sol. Era agosto, era verano. Era verano todos los días del año.

–¡Michela!

Michela sacó una compacta y tiró una foto del país, Inglaterra. Llevaba las uñas pintadas de naranja, era la primera vez que se había pintado las uñas en su vida, igual que era la primera vez que veía un cartel de Inglaterra, o de nada que se le pareciera. Tenía nueve años.

–¡Michela!

Kyle la estaba llamando desde la otra acera. Gastaba zapatos de cordón, pantalón de raya, corbata estrecha, negra. Michela se acercó a su padre arrastrando unas chanclas enormes, en realidad eran de Kyle las chanclas, cruzando sin mirar. Detrás de Kyle había un kiosco con un cartel del estreno de *Los Goonies* y otro de «Compro Oro».

–No te duermas.

Kyle se metió las manos en los bolsillos de atrás de los pantalones. Miró hacia la avenida, donde los tenderetes y los karaokes y las motos, y empezó a caminar en esa dirección. Caminaba despacio pero con zancada muy larga. Avanzaba deprisa.

Dejaron atrás un solar reventado de rastrojo, una de las miles de futuras piras funerarias de la ciudad, y llegaron a otro solar con la tierra cubierta de azulejos rotos y cascotes de obras y un sillón rojo debajo de un pino negro, rodeado de cáscaras de pipas. Cambiaron de acera, llegaron a la avenida, había tráfico, gente volviendo de la playa, alemanas cocidas, holandesas ahumadas, pensionistas, rusos, las tiendas estaban ya cerradas pero los mercadillos, no. Ese año la bebida del verano era una enorme litrona de plástico de algo azul con mucho alcohol y aún más azúcar que todos los turistas llevaban, ya caliente, en la mano.

En la esquina, algo más adelante, se encontraron casi de golpe con una mujer que miraba un jacarandá. En flor. Los jacarandás siempre son muy grandes, puro escaparate, la mujer lo contemplaba como si fuera algo inesperado en una ciudad así, ese exotismo frágil y elegante y tristemente cursi en una ciudad así, y no le faltaba razón. Estaba ahí de pie, algo ausente. Kyle la miró. Luego giró la cabeza y lanzó a Michela una sonrisa luminosa. Tenía esa dentadura. Kyle levantó uno, dos, tres dedos. Michela se encogió de hombros y luego asintió. Frunció el ceño. Kyle le señaló con la cabeza una callejuela de las que bajaban hacia la playa y se fue por ahí caminando despacio. Michela se acercó a la mujer. Por la espalda. Se limpió el sudor de las manos en la camiseta. Se detuvo. Deslizó la mano en el bolso de la mujer. Sacó la cartera, había cerca de cuarenta personas en ese momento a menos de diez metros de distancia pero nadie vio como se metía la cartera por dentro de la camiseta, o nadie quiso darse cuenta, que es lo mismo, y echaba a correr hacia la playa. La mujer dijo algo en inglés. Dio un grito. Tres o cuatro turistas se volvieron a mirar pero la insolación o la resaca o el sueño pudieron con ellos. Michela corrió cuesta abajo, tampoco con mucha prisa, casi con desgana, de vez en cuando miraba para atrás. Luego siguió caminando, arrastrando esas chanclas. Cuando llegó al paseo marítimo buscó a Kyle con la mirada. Estaba en la orilla, en una zodiac. Lo vio sacar una navaja suiza del bolsillo y cortar el amarre. Michela avanzó lentamente por la orilla. Saltó a la zodiac, arrojó la cartera de la mujer al asiento. Kyle arrancó el motor.

Mar adentro. Más mar.

Más adentro.

Nostalgia de imperios. Nostalgia de imperios y continentes y batallas navales de 1571. Nostalgia de viajes atravesando océanos sin otra guía que los mapas de corrientes marítimas realizados con hebras de uniforme de oficial inglés, nudos que representan islas y archipiélagos, hilos rojos que se cruzan en un bastidor de madera de balsa colgado junto a una fotografía de Reggie y Ron y una postal de Manchester clavadas con chinchetas en la pared. Melancolía inglesa, sanguínea, concreta, despiadada, tan distinta de la nuestra. Debajo del mapa hay una pila de libros, de Hitchens, de David Peace, las obras completas de Guillermo el Travieso por una sola libra. La Biblia del Rey Jacobo.

Gizmo y Fernando siguen sentados en el mismo sitio frente a la puerta cuando Kyle abre, no se mueven de ahí tampoco porque saben que a Kyle no le gusta que monten follón, las carreras, los saltos, los ladridos, es inglés. Un inglés muy alto, de los que de jóvenes tenían que abrir un poco las piernas para estar a la misma altura que los demás, pero a quien ahora le basta con seguir encorvado, no erguir la cabeza, larga, con barba de cinco días, pelo muy duro, blanco. No tiene más que un par de puntos en la ceja. No enciende la luz. Deja caer las llaves sobre la cama. Abre la nevera, que está en el mismo salón, la cierra sin sacar nada.

131

Se quita las zapatillas de correr con dos golpes de talón y se dirige a la terraza, descalzo, ligero, como un anuncio de seguros. Todavía un guapo inglés. Gizmo y Fernando se sientan cada uno a un lado de la silla de enea. Kyle se sienta y coge la cajetilla de tabaco, se echa para atrás y coloca un pie desnudo contra el canto de la mesa. Mira el horizonte vertical del edificio de enfrente. El cielo allí muy arriba, con las nubes dispuestas raras como faltas de ortografía. Entonces ve el mechero. Dorado, largo, estrecho. Como él. Sabe muy bien lo que está mirando pero no mueve ni un dedo. Ni un dedo. Lo mira un largo minuto, sin parpadear, sin tocarlo. Suspira. Gizmo y Fernando bostezan a la vez. Kyle se incorpora y coge el mechero. Suave. Era suave. Es suave. Le da la vuelta, lo mira por los dos lados. Se lo lleva a la frente para notar su temperatura, fría. Lo acaricia lentamente con el pulgar, la superficie acanalada, como si frotara la lámpara de la que saldría el espíritu de Reggie, su fantasma isabelino, su fantasma mamporrero, su fantasma del pasado que no fue, y con él todos los fantasmas.

Kyle enciende un cigarrillo, sí, eso hace, con ese mechero que ni siquiera es de oro sino chapado, que no es puro sino que lo parece. Gizmo y Fernando se levantan, entran en la casa, se van a lo oscuro. Kyle da una primera y larga calada. El cigarrillo prende igual que con cualquier mechero, sabe igual que cualquier otro cigarrillo, arde igual que siempre, igual que arden un billete de cinco y uno de quinientos, igual que arden las banderas rotas, las lanzas, los galeones, igual que arden los árboles, los bosques que caminan solos el día de la batalla del día de San Crispín, igual que arde todo, y luego solo queda eso, humo, aire, y nada.